Anne Frank

Aus dem Tagebuch

Deutsch – leichter lesen

Anne Frank
Aus dem Tagebuch

Bearbeitet von:
Angelika Lundquist-Mog

Ernst Klett Sprachen
Stuttgart

Deutsch – leichter lesen

1. Auflage 1 8 7 6 5 | 2025 24 23 22

Internetadresse: www.klett-sprachen.de

Diese Ausgabe wurde entwickelt in Zusammenarbeit mit dem
ANNE FRANK FONDS Basel.

Textbearbeitung und Didaktisierung: Angelika Lundquist-Mog
Redaktion: Barbara Stenzel, München
Reihenkonzept: Sebastian Weber
Layoutkonzeption: Sabine Kaufmann
Satz: Satzkasten, Stuttgart
Umschlaggestaltung: Sabine Kaufmann
Titelbild: © Copyright ANNE FRANK FONDS Basel
Druck und Bindung: Plump Druck & Medien GmbH, Rheinbreitbach
Printed in Germany

ISBN 978-3-12-674100-2

9 783126 741002

Inhalt

Einführung

Anne Frank und ihr Tagebuch

Anne Franks Tagebuch ist eines der berühmtesten Dokumente des Holocausts. Anne Frank wurde am 12. Juni 1929 als Tochter einer jüdischen Familie in Frankfurt geboren. Nachdem Hitler 1933 an die Macht kam, wurden Juden in Deutschland viele Rechte weggenommen und sie wurden immer mehr diskriminiert. Deshalb und aus wirtschaftlichen Gründen ging Familie Frank 1933 in die Niederlande. Anne lebte mit ihrem Vater, ihrer Mutter und ihrer älteren Schwester Margot in Amsterdam. 1940 besetzten die Nazis auch die Niederlande und nun wurde es für Juden auch dort gefährlich. Es gab viele antijüdische Gesetze.
Anne wünschte sich zum 13. Geburtstag, also zum 12. Juni 1942, ein Tagebuch und bekam es auch. Sie fing sofort an zu schreiben. In ihrem Tagebuch schrieb Anne Briefe an „Kitty" – die Freundin, die sie sich wünschte, aber nicht hatte. Zuerst schrieb sie über Themen wie Schule, Freunde und Freundinnen und das schwierige Alltagsleben von Juden. Am 5. Juli 1942 kam dann mit der Post ein „Aufruf" für Margot. Die Schwester sollte nach Deutschland geschickt werden. Deshalb versteckte sich Familie Frank im Hinterhaus der Firma des Vaters. Dort schrieb Anne Frank ihr Tagebuch zwei Jahre lang weiter, bis die Nazis die Versteckten fanden und am 4. August 1944 verhafteten. Vermutlich wurden sie verraten. Den letzten Tagebucheintrag schrieb Anne am 1. August 1944. Dann wurde die Familie mit den anderen Hinterhausbewohnern deportiert.

Anne Franks Schicksal berührt die Menschen bis heute. Das Tagebuch verrät ihre geheimen, intimen Gedanken, Wünsche, Träume und Ängste. Es zeigt Anne einerseits als eine ganz normale Jugendliche. Sie beschäftigt sich mit Themen wie Freundschaft, Liebe, Berufswünschen und dem Konflikt mit der Mutter. Andererseits ist ihre Lebenssituation keineswegs normal. Sie ist in ihrem Versteck

mit anderen Menschen auf engstem Raum gefangen. Sie kann nicht nach draußen, hat keine Intimsphäre und keine Freunde. Und es gibt immer die Angst und die Gefahr, dass die Nazis sie entdecken könnten. Diese Situation führt vielleicht dazu, dass sie ihre enge Welt und die politischen Ereignisse so genau beschreibt und reflektiert.
Anne Frank konnte gut beobachten und schreiben; sie war begabt, ehrgeizig und hatte Humor. Sie wollte Journalistin oder Schriftstellerin werden.
Dass dieses junge Mädchen, das wir so intensiv durch ihr Tagebuch kennenlernen, Opfer der Nazis wurde, zeigt die unmenschliche Grausamkeit der Nazizeit.

Das Versteck

Im Hinterhaus von Otto Franks Firma Opekta in der Prinsengracht 263 versteckten sich acht Personen. Anne veränderte die Namen in ihrem Tagebuch. Familie van Daan hieß in Wirklichkeit van Pels und Albert Dussel hieß Fritz Pfeffer. Das Überleben in dem Versteck war nur möglich, weil Mitarbeiter von Otto Frank in allen möglichen Situationen halfen. Auch für die Helfer war das gefährlich. Die Versteckten mussten im Hinterhaus vorsichtig und leise sein, denn in der Firma arbeiteten noch Angestellte, die nichts von ihnen wussten.

Die Versteckten

Otto Frank

Edith Frank

Margot Frank

Anne Frank

Fritz Pfeffer (alias Albert Dussel)

Familie van Pels (alias van Daan)

Peter

Die Helfer

Johannes Kleiman

Victor Kugler

Miep Gies

Jan Gies

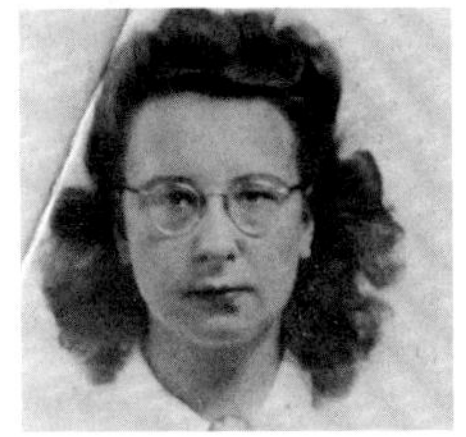

Bep Voskuijl

Was passierte nach dem letzten Tagebucheintrag?

Am 4. August 1944 verhafteten die Nazis alle acht Versteckten. Am 8. August brachten sie sie nach Westerbork (Niederlande). Von da aus wurden sie am 3. September 1944 nach Auschwitz (Polen) deportiert, wo Hermann van Pels und Annes Mutter ermordet wurden. Die anderen wurden in unterschiedliche Konzentrationslager deportiert, wo sie starben oder getötet wurden. Anne Frank und ihre Schwester Margot starben in Bergen-Belsen (Norddeutschland) kurz vor Kriegsende 1945 an Typhus.
Nur Annes Vater Otto Frank überlebte.

Die Veröffentlichung

Miep Gies, eine Helferin, übergab Otto Frank nach dem Krieg das Tagebuch. Otto Frank veröffentlichte 1947 die niederländische Ausgabe *Het Achterhuis* (Das Hinterhaus). Bekannt wurde das Tagebuch vor allem durch das Theaterstück (1955) und die Verfilmung der Geschichte (1959). Das Tagebuch wurde bisher in mehr als 70 Sprachen übersetzt.
Otto Frank engagierte sich für den Dialog, die Menschenrechte und Versöhnung. 1963 gründete er den Anne Frank Fonds in Basel und setzte ihn als Universalerben ein. Er ist Inhaber und Herausgeber des Tagebuchs seiner Tochter. Am 19. August 1980 starb Otto Frank.

Zu diesem Leseheft

Diese sprachlich vereinfachte und bearbeitete Ausgabe *Anne Frank: Aus dem Tagebuch* auf dem Sprachniveau A2/B1 richtet sich vor allem an Leserinnen und Leser, deren Muttersprache nicht Deutsch ist. Sprachliche Vereinfachung bedeutet: Diese Ausgabe gibt den Tagebuchtext nicht Wort für Wort wieder. Trotzdem bleibt diese Version so nah am Text wie möglich und versucht, den besonderen Stil von Anne Frank zu erhalten und mit ihrer Stimme zu sprechen.

Grundlage für die hier ausgewählten Tagebuchtexte ist die weltweit verbindliche Lesebuchausgabe des Fischer Verlags *Anne Frank Tagebuch* (1991), aus dem Niederländischen übersetzt von der 2019 verstorbenen Schriftstellerin und Übersetzerin Mirjam Pressler.

Zu Textauswahl und Aufbau

Es handelt sich bei diesem Leseheft um eine Auswahl von 33 Tagebuchtexten. Die Texte sind so gewählt, dass darin die wichtigen Themen des Tagebuchs vorkommen. Manchmal wurde leicht gekürzt. Wenn eine längere Passage weggelassen wurde, ist dies mit (...) gekennzeichnet.
Jeweils am Seitenende werden mit Sternchen markierte Wörter erklärt.
Zu den grau markierten Begriffen gibt es auf den Seiten 94–98 Informationen zur Zeitgeschichte .
Anne Frank verwendet im Tagebuch viele Präteritumformen. Die unregelmäßigen Formen befinden sich alphabetisch geordnet auf den Seiten 99–101.
Zusätzlich gibt es zu den Texten Übungen zum Leseverstehen ab Seite 102 und dazu Lösungen auf Seite 119/120. Die Übungen sind mit diesem Symbol gekennzeichnet: Übungen

Text 1

Sonntag, 14. Juni 1942

Ich beginne mit dem Augenblick, als ich dich bekommen habe. Das heißt, als ich dich auf meinem Geburtstagstisch gesehen habe (beim Kaufen war ich auch dabei, aber das zählt nicht).

Am Freitag, dem 12. Juni, war ich schon um sechs Uhr wach. Das ist doch klar! Ich hatte schließlich Geburtstag. Aber um sechs Uhr durfte ich noch nicht aufstehen, auch wenn ich schrecklich neugierig war. Bis Viertel vor sieben habe ich gewartet. Länger habe ich es nicht geschafft. Ich lief ins Esszimmer. Da begrüßte mich gleich unsere Katze Moortje mit einem Salto*.

Kurz nach sieben ging ich zu Papa und Mama und dann ins Wohnzimmer. Dort wollte ich meine Geschenke auspacken. Zuerst sah ich *dich* und du bist wohl eines von meinen schönsten Geschenken. Es gab viele Blumen. Von Papa und Mama habe ich eine blaue Bluse bekommen, ein Spiel, eine Flasche Traubensaft, die nach Wein schmeckt (klar, Wein ist ja aus Trauben), ein Puzzle, Creme, Geld und einen Gutschein** für zwei Bücher. Da war noch ein Buch,

---

* **der Salto:** ein sportlicher Sprung in der Luft

** **der Gutschein:** Stück Papier, mit dem man etwas kaufen kann

aber das hat Margot schon. Darum habe ich es getauscht. Dann gab es noch Kekse*, die ich selbst gebacken habe (das kann ich nämlich zurzeit sehr gut), viele Süßigkeiten und eine Erdbeertorte** von Mutter. Von Omi gab es einen Brief, der ganz pünktlich kam, aber das ist natürlich ein Zufall. 5
Meine Freundin Hanneli holte mich ab. Wir gingen zur Schule. In der Pause verteilte ich Butterkekse an die Lehrer und Schüler. Dann haben wir wieder gearbeitet.
Ich kam erst um fünf Uhr nach Hause, weil ich noch beim Sport war (obwohl ich nie mitmachen darf, weil ich mir leicht Arme 10 und Beine verletze). Für meine Mitschüler habe ich Volleyball als Geburtstagsspiel ausgesucht. Sanne war schon da. Ilse, Hanneli und Jacqueline sind mit mir gekommen. Hanneli und Sanne waren früher meine besten Freundinnen. Jacqueline habe ich erst auf dem Jüdischen Lyzeum kennen gelernt. Sie ist jetzt meine 15 beste Freundin. Sanne geht in eine andere Schule und hat dort ihre Freundinnen.

Übungen

* **der Keks:** kleines, süßes Gebäck
** **die Erdbeertorte:** Torte mit roten Früchten

Text 2

Samstag, 20. Juni 1942

Für mich ist Tagebuch schreiben seltsam. Nicht nur, weil ich noch nie Tagebuch geschrieben habe. Ich denke auch, dass ich und andere Menschen sich später nicht für die intimen* Gedanken und Gefühle eines dreizehnjährigen Schulmädchens interessieren. Aber das ist nicht so wichtig. Ich habe Lust zu schreiben. Und ich brauche jemanden, dem ich alles erzählen kann.

Man sagt „Papier ist geduldiger als Menschen". Daran dachte ich, als ich an einem meiner eher traurigen Tage Langeweile hatte. Ich saß am Tisch, den Kopf auf den Händen, und ich hatte keine Energie. Weggehen oder zu Hause bleiben? Ich wusste es nicht. So blieb ich sitzen und dachte weiter nach. Genau, Papier ist geduldig. Und weil niemand dieses Tagebuch irgendwann lesen darf, ist es auch egal. Einzige Ausnahme: Vielleicht gibt es später in meinem Leben „die" Freundin oder „den" Freund.

So hatte ich die Idee mit dem Tagebuch: Ich habe keine Freundin. Das muss ich wohl erklären, denn niemand kann verstehen, dass ein Mädchen mit dreizehn ganz allein auf der Welt ist. Das ist auch nicht wahr. Ich habe liebe Eltern und eine Schwester, die sechzehn ist. Ich habe mindestens dreißig Bekannte; manche würden sagen: Freundinnen. Und ich habe viele männliche Bewunderer**. Sie lesen mir alle Wünsche von den Augen ab. Manchmal wollen sie sogar in der Klasse meinen Blick mit einem kaputten Spiegel fangen. Ich habe Verwandte und ein gutes Zuhause. Nein, es fehlt mir nichts, außer „die" Freundin. Mit meinen Bekannten kann ich Spaß machen. Ich kann über alltägliche Dinge sprechen, aber es geht nie tiefer und nie werde ich intimer mit ihnen. Das ist das Problem. Vielleicht liegt das ja auch an mir. Jedenfalls ist es leider so und nicht zu ändern. Darum dieses Tagebuch.

Ich will nicht einfach so Tagebuch schreiben. Ich will meiner Freundin schreiben, die ich ja so gerne haben möchte. Deshalb soll

---

* **intim:** sehr privat

** **der Bewunderer:** jemand, der eine andere Person ganz toll findet

dieses Tagebuch selbst meine Freundin sein. Und diese Freundin heißt „Kitty".
Niemand versteht das, was ich Kitty erzähle, wenn ich einfach so losschreibe. Ich mache das nicht gern, aber ich muss wohl kurz meine Lebensgeschichte aufschreiben.
Mein allerliebster Schatz von einem Vater heiratete erst mit 36 Jahren meine Mutter. Sie war damals 25 Jahre alt. Meine Schwester Margot wurde 1926 in Frankfurt am Main in Deutschland geboren. Am 12. Juni 1929 kam ich. Bis zu meinem vierten Lebensjahr wohnte ich in Frankfurt. Weil wir Juden sind, ging dann mein Vater 1933 in die Niederlande. Er wurde Direktor* der Niederländischen Opekta Gesellschaft zur Marmeladenherstellung**. Meine Mutter, Edith Frank-Holländer, fuhr im September auch nach Holland. Margot und ich gingen nach Aachen in Deutschland, wo unsere Großmutter wohnte. Margot ging im Dezember nach Holland und ich im Februar. Da haben mich meine Eltern als Geburtstagsgeschenk für Margot auf den Tisch gesetzt.
Ich ging bald in den Kindergarten der Montessorischule. Dort blieb ich, bis ich sechs Jahre alt war. Dann kam ich in die erste Klasse. In der 6. Klasse kam ich zu der Direktorin Frau Kuperus. Am Ende des Schuljahres nahmen wir Abschied und weinten beide fürchterlich. Dann besuchte ich das Jüdische Lyzeum, wo Margot auch war.
In unserem Leben gab es viele Sorgen, denn unsere Familie in Deutschland litt unter Hitlers Judengesetzen. Nach den Pogromen 1938 flohen meine beiden Onkel nach Amerika, und meine Großmutter kam zu uns. Sie war damals 73 Jahre alt.
Ab Mai 1940 waren die guten Zeiten bei uns vorbei: erst der Krieg, dann kapitulierten die Niederländer und die deutschen Soldaten kamen ins Land. So begann das Elend*** für uns Juden. Es gab ein Judengesetz nach dem anderen. Jetzt hatten wir kaum noch Freiheiten. Juden müssen einen Judenstern tragen; Juden

* **der Direktor:** Chef einer Firma
** **die Gesellschaft zur Marmeladenherstellung:** eine Firma, die Marmelade macht
*** **das Elend:** schlimme Situation, Not

müssen ihre Fahrräder abgeben; Juden dürfen nicht mit der Straßenbahn fahren; Juden dürfen nicht mit einem Auto fahren, auch nicht mit einem privaten; Juden dürfen nur von 3 – 5 Uhr einkaufen; Juden dürfen nur zu einem jüdischen Friseur; Juden dürfen zwischen 8 Uhr abends und 6 Uhr morgens nicht auf die Straße; Juden dürfen nicht in Theater, Kinos und an andere Orte gehen, die für das Vergnügen gedacht sind; Juden dürfen nicht ins Schwimmbad, und auch nicht auf Sportplätze; Juden dürfen nicht rudern*; Juden dürfen in der Öffentlichkeit keinen Sport machen; Juden dürfen nach acht Uhr abends nicht in ihrem Garten oder im Garten von Bekannten sitzen; Juden dürfen nicht zu Christen ins Haus kommen; Juden müssen auf jüdische Schulen gehen und so weiter. So war unser Leben nun und wir durften dies und das nicht. Jacque sagt immer zu mir: „Ich habe nicht den Mut, irgendetwas zu machen, ich habe immer Angst, dass es nicht erlaubt ist."
Im Sommer 1941 wurde Oma sehr krank und hatte eine Operation. Deshalb konnten wir meinen Geburtstag nicht wirklich feiern. Im Sommer 1940 auch nicht, weil die Niederländer kapitulierten. Oma starb im Januar 1942. Niemand weiß, wie oft ich an sie denke und sie noch immer lieb habe. Diesen Geburtstag 1942 haben wir für alle diese Geburtstage zusammen gefeiert, und Omas Kerze war dabei.
Auch wenn wir den Stern tragen müssen, in getrennte Schulen gehen und abends nicht ausgehen dürfen, wir nehmen es so, wie es ist. Margot und ich mussten im Oktober 1941 ins Jüdische Lyzeum wechseln. Sie geht in die 4. Klasse und ich in die 1.
Uns vieren geht es noch immer gut. Und nun sind wir beim Datum von heute, dem 20. Juni 1942. Und hiermit beginnt die feierliche Einweihung** meines Tagebuchs.

Übungen

* **rudern:** mit einem Stock ein Boot durch das Wasser bewegen
** **die feierliche Einweihung:** besonderes Fest, das der Anfang von etwas Neuem ist

Text 3

Sonntag, 21. Juni 1942

Liebe Kitty!

Die ganze Klasse hat Angst, denn bald ist Lehrerkonferenz. Die halbe Klasse wettet: Wer schafft die Klasse? Wer nicht? Meine Nachbarin Miep und ich lachen über die beiden Jungs, die hinter uns sitzen und die sicher schon kein Geld für die Ferien mehr haben. Sie wetten die ganze Zeit. „Du schaffst es!" „Nein, bestimmt nicht." ... So geht es von morgens bis abends. Miep versucht es mit Blicken und ich werde wütend, aber sie hören nicht auf. Ich finde, ein Viertel der Klasse müsste das Jahr wiederholen. Manche sind so dumm! Für meine Freundinnen und mich habe ich nicht so viel Angst. Wir werden es wohl schaffen. Nur bei Mathematik bin ich mir nicht sicher. Bis dahin machen wir uns Mut.

Ich verstehe mich mit allen Lehrern und Lehrerinnen ziemlich gut. Es sind insgesamt neun, sieben männliche und zwei weibliche. Nur der alte Mathematiklehrer Herr Keesing war eine Zeit lang sehr böse auf mich, weil ich immer so viel schwätze*. Er sagte

* **schwätzen:** *süddeutsch:* sprechen; im Unterricht mit Freunden reden

immer wieder: „Anne Frank, du darfst im Unterricht nicht reden!“ Und dann musste ich einen Aufsatz* über das Thema „Eine Schwatzliese“** schreiben. Was kann man da schreiben? Aber ich machte mir keine Sorgen, steckte das Aufgabenheft in die Tasche und versuchte, mich ruhig zu verhalten.

Am Abend nach den Aufgaben sah ich es plötzlich in meinem Heft: Ich muss ja noch diesen Aufsatz schreiben! Ich fing an, über das Thema nachzudenken. Einfach irgendetwas schreiben und dabei die Wörter so weit wie möglich auseinander ziehen, das kann jeder. Aber einen richtig guten Beweis finden, warum Schwätzen so wichtig ist, das war die Kunst. Ich dachte und dachte, und dann hatte ich plötzlich eine Idee. Ich schrieb die drei Seiten und war zufrieden. Ich behauptete, dass Reden weiblich ist. Ich wollte ja eigentlich nicht so viel reden und ich möchte mich ja bessern. Aber ganz kann ich diese Gewohnheit nicht aufgeben, weil meine Mutter auch so viel redet wie ich, vielleicht sogar mehr. Ich habe das geerbt***. Dagegen kann man eben wenig machen.

Herr Keesing lachte über meinen Aufsatz. Aber als ich in der nächsten Stunde wieder schwätzte, musste ich noch einen Aufsatz schreiben. Das Thema war „Eine unverbesserliche**** Schwatzliese“. Auch diesen Aufsatz schrieb ich. Zwei Stunden lang war Herr Keesing zufrieden. Aber in der dritten Stunde war es Keesing zu viel. Er sagte: „Anne Frank, weil du so viel schwätzt, schreibst du einen Aufsatz mit dem Thema: Queck, queck, queck, sagte Fräulein Schnatterbeck.“

Die Klasse lachte laut. Ich musste auch lachen, aber ich hatte keine Ideen. Ich musste etwas Ungewöhnliches finden. Meine Freundin Sanne half mir. Wir schrieben den Aufsatz in Reimen*****. Sanne kann das gut. Ich war glücklich. Jetzt konnte ich Keesing zeigen, dass er mit mir keine Spielchen spielen konnte.

---

* **der Aufsatz:** Text, den Schüler über ein Thema schreiben
** **die Schwatzliese:** Mädchen/Frau, die viel redet
*** **erben:** von den Eltern bekommen
**** **unverbesserlich:** jemand, der sich nicht ändern/bessern will oder kann
***** **der Reim:** Wörter, die am Ende gleich klingen

Das Gedicht war fantastisch. Es handelte von einer Mutter Ente und einem Vater Schwan* mit drei kleinen Entchen. Und weil die Entchen so viel schnatterten**, tötete der Vater sie. Zum Glück versteht Keesing Spaß. Er las das Gedicht in unserer Klasse und anderen Klassen vor. Danach durfte ich schwätzen und musste keine Aufsätze mehr schreiben. Keesing macht jetzt sogar immer Witze.

Deine Anne

Übungen

* **der Schwan:** weißer Vogel, der im Fluss oder See schwimmt und einen langen Hals hat
** **schnattern:** Geräusch, das Enten machen; über unwichtige Dinge reden

Text 4

Mittwoch, 8. Juli 1942

Liebe Kitty!

Zwischen Sonntagmorgen und jetzt liegen für mich Jahre. Es ist so viel passiert. Alles hat sich total verändert. Aber, Kitty, du merkst, ich lebe noch. Das ist das Wichtigste, sagt Vater. Ja, ich lebe noch, aber frage nicht, wo und wie. Du verstehst mich sicher heute gar nicht, Kitty. Deshalb erzähle ich dir jetzt, was am Sonntag passiert ist.

Um 3 Uhr (mein Freund Hello war gerade gegangen und wollte wiederkommen) klingelte es an der Tür. Ich hatte es nicht gehört. Ich lag faul auf der Terrasse in der Sonne und las.

Kurz danach stand Margot an der Küchentür. Sie sagte ganz leise: „Für Vater ist ein Aufruf von der SS gekommen. Mutter ist schon zu Herrn van Daan gegangen."

Ich erschrak schrecklich. Ein Aufruf! Jeder weiß, was das heißt. Konzentrationslager und einsame Gefängnisse. Solche Bilder hatte ich im Kopf. Und dahin sollte Vater gehen? Margot erklärte: „Er geht natürlich nicht. Du weißt ja, wir wollen uns verstecken. Vielleicht können wir schon morgen in unser Versteck umziehen. Van Daans gehen mit. Wir sind dann sieben Personen."

Stille. Wir konnten nicht mehr sprechen. Ich dachte an Vater, der einen Besuch im jüdischen Altersheim machte und keine Ahnung hatte, was hier passiert war. Und dann das Warten auf Mutter, die Hitze, die Nervosität … Wir konnten nur schweigen.

Plötzlich klingelte es wieder. „Das ist Hello", sagte ich. Margot hielt mich fest und sagte: „Nicht aufmachen!" Aber da hörten wir Mutter und Herrn van Daan unten schon mit Hello reden. Dann kamen sie herein und schlossen die Tür. Wenn es klingelte, sollten Margot und ich leise hinuntergehen und nachsehen, ob es Vater war. Andere Leute durften nicht rein. Margot und ich mussten aus dem Zimmer gehen. Van Daan wollte mit Mutter allein sprechen.

Als Margot und ich in unserem Zimmer waren, erzählte sie, dass der Aufruf nicht für Vater war, sondern für sie. Ich erschrak wieder

und weinte. Margot ist sechzehn. So junge Mädchen wegschicken? Aber sie geht nicht! Mutter hatte es selbst gesagt. Und wahrscheinlich hatte das auch Vater gemeint, als wir über das Verstecken gesprochen hatten.
Aber wo sollten wir uns verstecken? In der Stadt? Auf dem Land? In einem Haus? Wann? Wie? Wo? Darüber dachte ich die ganze Zeit nach.
Margot und ich packten gleich das Nötigste in unsere Schultasche. Zuerst legte ich dieses Tagebuch hinein und dann Lockenwickler*, Taschentücher, Schulbücher, einen Kamm und alte Briefe. Ich dachte ans Verstecken, deshalb hatte ich überhaupt nicht vernünftig gepackt. Aber für mich sind Erinnerungen eben wichtiger als Kleider.
Um fünf Uhr kam Vater endlich nach Hause. Herr van Daan holte Miep. Sie kam, packte Schuhe und Kleidung in eine Tasche. Am Abend wollte sie noch einmal kommen. Danach war es still in unserer Wohnung. Wir wollten alle nichts essen. Es war noch warm und alles war so seltsam.
Das große Zimmer oben hatte Herr Goldschmidt gemietet. Er war bei uns und wir hofften, dass er bald wieder ging. Aber an dem Abend hatte er wohl nichts geplant. Er blieb bis zehn Uhr.
Um elf Uhr kamen Miep und Jan Gies. Sie haben erst vor kurzer Zeit geheiratet. Miep ist seit 1933 bei Vater in der Firma und eine gute Freundin geworden, ebenso ihr Mann Jan. Miep und Jan nahmen wieder Schuhe, Hosen, Bücher und Unterwäsche** mit. Um halb zwölf waren sie gegangen.
Ich war sehr müde. Ich wusste ja, dass es die letzte Nacht in meinem eigenen Bett war, aber ich schlief sofort ein. Am nächsten Morgen weckte mich meine Mutter um halb sechs. Es war gut, dass es nicht mehr so heiß war wie am Sonntag. Es regnete. Wir zogen uns alle so dick an, als müssten wir in einem Kühlschrank übernachten. So konnten wir mehr Kleider mitnehmen. Kein Jude würde in unserer

* **der Lockenwickler:** Gegenstand aus Metall oder Plastik für die Haare, damit die Haare nicht mehr glatt sind
** **die Unterwäsche:** was man unter der Kleidung trägt

Situation mit einem Koffer voller Kleider auf die Straße gehen. Das wäre viel zu gefährlich. So war ich angezogen: zwei Hemden, drei Hosen, zwei Paar Strümpfe, ein Kleid und darüber einen Rock, Mantel, Sommermantel, feste Schuhe, Mütze, Schal* und noch viel mehr. Ich konnte schon zu Hause kaum atmen, aber das interessierte niemanden.

Margot packte so viele Schulbücher wie möglich in ihre Schultasche. Dann holte sie ihr Rad und fuhr hinter Miep her – zu einem unbekannten Ort. Ich wusste nämlich noch immer nicht, wo wir uns verstecken wollten.

Um halb acht schlossen auch wir die Tür hinter uns. Ich musste mich von meiner kleinen Katze Moortje verabschieden. Sie sollte ein gutes Zuhause bei Nachbarn bekommen. Das stand in einem Brief an Herrn Goldschmidt.

Als wir gingen, war das Bett nicht gemacht. Auf dem Tisch lag alles vom Frühstück und in der Küche gab es Fleisch für die Katze. Es sah so aus, als wären wir ganz schnell weggegangen. Das war uns egal. Wir wollten nur weg und sicher ankommen. Sonst nichts!

Fortsetzung morgen.

Deine Anne

Übungen

* **der Schal:** Tuch für den Hals

Text 5

Donnerstag, 9. Juli 1942

Liebe Kitty!

So liefen Vater, Mutter und ich, jeder mit einer vollen Schul- und Einkaufstasche durch den Regen. In den Gesichtern der Arbeiter, die schon zur Arbeit gingen, konnten wir sehen, dass es ihnen leid tat, dass wir keine Fahrzeuge nehmen durften. Der große gelbe Stern sagte alles.

Erst als wir auf der Straße waren, erzählten mir Vater und Mutter nach und nach den ganzen Plan über unser Versteck. Seit Monaten hatten sie schon viele Sachen aus der Wohnung in das Versteck gebracht. Am 16. Juli wollten sie sich mit uns Kindern verstecken. Weil es aber den Aufruf für Margot gab, mussten wir das zehn Tage früher tun. Das bedeutete auch, dass die Räume im Versteck noch nicht fertig waren. Aber damit mussten wir leben.

Das Versteck war in Vaters Bürogebäude in der Prinsengracht 263. Dazu muss ich wohl einiges erklären. Vater hatte nicht viele Mitarbeiter. Da waren jetzt Herr Kugler, Herr Kleiman, Miep und dann noch Bep Voskuijl. Alle waren informiert, dass wir kommen.

Im Lager waren Herr Voskuijl, also Beps Vater, und zwei Arbeiter, die nichts von unserem Versteck wussten.
Das Gebäude sieht so aus: Unten ist ein großer Raum, das Lager. Dort gibt es Gewürze, Vorräte* und mehr. Eine Treppe führt nach oben. Dort ist ein sehr großes, helles und sehr volles Büro. Hier arbeiten Bep, Miep und Herr Kleiman. Wenn man weitergeht, kommt man in ein dunkles Zimmer für den Direktor. Dort saßen früher Herr Kugler und Herr van Daan. Jetzt sitzt da nur noch Herr Kugler. Geht man von Kuglers Büro durch einen langen, schmalen Flur und steigt dann vier Stufen hoch, so kommt man zum schönsten Raum. Das ist das Privatbüro. Da stehen schöne dunkle Möbel, es liegen Teppiche auf dem Boden, es gibt ein Radio, eine elegante Lampe. Alles ist prima-prima. Daneben ist eine große Küche, wo man auch Wasser warm machen kann und mit Gas kochen. Dann noch ein Klo**. Das ist der erste Stock.
Vom unteren Flur gibt es eine Holztreppe nach oben. Dort ist ein kleiner Flur. Rechts und links sind Türen, die linke Tür führt zum Vorderhaus mit den Lagerräumen, die rechte Tür zum „Hinterhaus". Bestimmt vermutet kein Mensch, dass es hinter der grauen Tür noch so viele Zimmer gibt. Direkt gegenüber der Tür ist eine steile Treppe, links ein kleiner Flur und ein Raum. Das ist dann das Wohn- und Schlafzimmer der Familie Frank. Daneben ist noch ein kleineres Zimmer. Das ist das Schlaf- und Arbeitszimmer von Margot und mir. Rechts von der Treppe ist ein kleines Zimmer ohne Fenster mit einem Waschbecken*** und einem extra Klo.
Von da aus gibt es eine Tür in Margots und mein Zimmer. Wenn man die Treppe hochgeht und die Tür öffnet, ist man überrascht. Hier gibt es einen hohen, hellen, großen Raum. Dort steht ein Herd und ein Spülbecken**** (das war früher Herr Kuglers Labor). Das ist also in Zukunft die Küche und das Schlafzimmer von Herr und Frau Daan, und auch das gemeinsame Wohnzimmer, Esszimmer

* **der Vorrat:** etwas, was man besorgt hat, sodass man später genug davon hat
** **das Klo:** Toilette
*** **das Waschbecken:** an der Wand festgemachte Schüssel, wo man sich wäscht
**** **das Spülbecken:** an der Wand festgemachte Schüssel, in der man Geschirr spült

und Arbeitszimmer. Ein sehr kleines Zimmerchen, durch das man durchgehen muss, wird Peters Zimmer. Dann gibt es, wie im Vorderhaus, einen Dachboden und noch einen darüber. Siehst du, jetzt habe ich dir unser ganzes schönes Hinterhaus vorgestellt.

Deine Anne

Übungen

Text 6

Samstag, 11. Juli 1942

Liebe Kitty!

Vater, Mutter und Margot können sich nicht an die Glocke* im Westerturm gewöhnen. Jede Viertelstunde sagt sie, wie spät es ist. Das ist ziemlich laut. Mir hat es jedoch sofort gefallen, besonders nachts. Es fühlt sich gut bekannt und normal an. Bestimmt interessiert dich, wie mir das Leben in unserem Versteck gefällt. Nun, ich kann dir nur sagen, dass ich es selbst noch nicht genau weiß. Wahrscheinlich fühle ich mich hier nie ganz zu Hause, auch wenn

* **die Glocke:** Gegenstand aus Metall mit Metallstock in der Mitte; in Bewegung ist die Glocke laut

es hier ganz angenehm ist. Ich fühle mich eher wie in einem seltsamen Hotel, in dem ich Ferien mache. Das Hinterhaus ist ein ideales Versteck. Es ist feucht und ein bisschen schief, aber man findet wohl in ganz Amsterdam, vielleicht sogar in ganz Holland, kein so bequem eingerichtetes Versteck.
Unser Zimmer hatte Wände ohne Bilder, ohne irgendwas. Aber mein Vater hatte meine Postkarten und Bilder von Filmstars mitgenommen. Dafür bin ich sehr dankbar. Die habe ich auf die ganze Wand geklebt und so aus dem Zimmer ein einziges Bild gemacht. Es sieht viel fröhlicher aus. Wenn die van Daans kommen, machen wir aus dem Holz, das auf dem Dach liegt, einen kleinen Schrank und andere nette Dinge.
(...)
Und gestern Abend sind wir alle vier hinunter in das Privatbüro gegangen und haben den englischen Radiosender angestellt. Ich hatte solche Angst, dass es jemand hören könnte. Das ist doch verboten! Ich bat meinen Vater sehr, wieder nach oben zu gehen. Meine Mutter konnte meine Angst verstehen und ging mit mir nach oben. Überhaupt haben wir große Angst, dass die Nachbarn uns hören oder sehen könnten. Gleich am ersten Tag haben Vater und ich aus verschiedenen Tüchern Vorhänge genäht. Besonders gut haben wir das nicht gemacht. Die Vorhänge haben wir an den Fenstern festgemacht und da sollen sie bleiben, solange wir uns verstecken müssen.
Rechts neben unserem Haus ist eine Firma und links eine Schreinerei*. Diese Leute sind also nach der Arbeit nicht in den Gebäuden. Trotzdem dürfen wir auch abends nicht laut sein. Wir haben Margot verboten, nachts zu husten, auch wenn sie eine schwere Erkältung hat. Sie bekommt von uns ein starkes Medikament.
Ich freue mich, wenn am Dienstag van Daans kommen. Es ist bestimmt gemütlicher und nicht so still. Es macht mich nämlich

* **die Schreinerei:** Arbeitsplatz von Schreinern/Tischlern, die mit Holz arbeiten und z.B. Möbel machen

abends und nachts so nervös, wenn es still ist. Ich wäre so froh, wenn jemand von unseren Beschützern* hier schlafen würde.
Sonst ist es hier überhaupt nicht so schlimm, denn wir können kochen und unten in Papis Büro Radio hören. Herr Kleiman, Miep und Bep haben uns sehr geholfen. Wir haben sogar schon Obst gehabt. Ich glaube auch nicht, dass uns hier langweilig wird. Wir haben viele Bücher und wir kaufen noch viele Spiele. Natürlich dürfen wir nie aus dem Fenster sehen oder hinausgehen. Am Tag müssen wir immer sehr leise gehen und leise sprechen, denn im Lager dürfen sie uns nicht hören.
(…)
Gerade ruft mich jemand.

Deine Anne

Übungen

* **der Beschützer**: jemand, der auf andere aufpasst und darauf achtet, dass ihnen nichts passiert

Text 7

Freitag, 14. August 1942

Beste Kitty!

Einen Monat musstest du warten, aber es passiert auch wirklich nicht viel. Nicht jeden Tag kann ich etwas Schönes erzählen. Van Daans sind am 13. Juli gekommen. Wir dachten, sie kommen am 14., aber es gab immer mehr Aufrufe von den Deutschen. Deshalb zogen van Daans einen Tag früher um. Das fanden sie sicherer.

Morgens um halb zehn (wir saßen noch beim Frühstück) kam Peter van Daan. Der ist ein ziemlich langweiliger, schüchterner*, riesiger Typ, und noch nicht sechzehn. Ich glaube nicht, dass es mit ihm sehr interessant und spannend wird. Herr und Frau van Daan kamen eine halbe Stunde später.

Frau von Daan hatte zu unserem großen Vergnügen ihren Nachttopf** in einer Schachtel dabei. „Ohne Nachttopf fühle ich mich nirgendwo zu Hause", erklärte sie. Der Nachttopf bekam auch gleich einen festen Platz unter dem Bettsofa. Herr van Daan brachte keinen Topf mit. Er hatte einen kleinen Tisch unter dem Arm.

Wir aßen am ersten Tag gemütlich zusammen, und nach drei Tagen hatten wir alle sieben das Gefühl, dass wir jetzt eine große Familie sind. Selbstverständlich konnten van Daans viel erzählen. Sie hatten ja eine Woche länger in der Welt draußen verbracht. Uns interessierte auch sehr, was mit unserer Wohnung und dem Nachbarn Herrn Goldschmidt passiert war.

Herr van Daan erzählte: „Montagmorgen um neun Uhr rief Goldschmidt an. Er fragte, ob ich mal schnell kommen kann. Ich ging sofort hin. Er war sehr aufgeregt. Ich sollte den Zettel lesen, den Sie in der Wohnung gelassen hatten. Er wollte die Katze zu Nachbarn bringen, so wie es auf dem Zettel stand. Das fand ich sehr gut. Er hatte Angst vor einer Hausdurchsuchung***. Deshalb gingen

* **schüchtern:** ängstlich, unsicher, still

** **der Nachttopf:** Topf, den man nachts als Toilette benutzt

*** **die Hausdurchsuchung:** die Polizei sucht in Häusern nach Menschen oder Dingen

wir durch alle Zimmer. Wir nahmen die Sachen vom Tisch und räumten ein bisschen auf. Plötzlich entdeckte ich auf Frau Franks Schreibtisch einen Zettel, auf dem eine Adresse in Maastricht stand. Ich wusste ja, dass Frau Frank den Zettel dort mit Absicht hingelegt hatte. Aber ich tat so, als wäre ich sehr überrascht und erschrocken. Ich bat Herrn Goldschmidt dringend, den Zettel zu verbrennen. Die ganze Zeit hatte ich gesagt, dass ich nichts davon wusste, dass die Franks weggehen wollten. Aber plötzlich hatte ich eine gute Idee. Ich sagte: ‚Jetzt fällt mir ein, was die Adresse bedeuten kann. Ich erinnere mich genau, dass vor ungefähr einem halben Jahr ein Offizier* im Büro war. Das war ein Jugendfreund von Herrn Frank, der jetzt in Maastricht beim Militär war. Er wollte helfen, wenn es nötig ist. Wahrscheinlich hat er das gemacht. Er hat bestimmt die Franks nach Belgien und dann in die Schweiz gebracht. Erzählen Sie das auch den Bekannten, die vielleicht nach den Franks fragen. Aber sagen Sie besser nichts von Maastricht.‘ Dann ging ich. Die meisten Bekannten wissen es jetzt schon, denn ich habe diese Erklärung schon von mehreren Leuten gehört.“
Wir fanden die Geschichte lustig, aber lachten noch mehr über die Phantasie der Leute. So hatte eine Familie morgens gesehen, wie wir alle vier auf dem Fahrrad vorbeigekommen waren. Und eine andere Frau wusste sicher, dass man uns mitten in der Nacht mit einem Militärauto abgeholt hatte.

Deine Anne

Übungen

* **der Offizier:** Person, die im Krieg eine hohe Position hat und Anweisungen geben darf

Text 8

Freitag, 21. August 1942

Beste Kitty!
Erst jetzt ist unser Versteck ein richtiges Versteck. Herr Kugler fand es nämlich besser, wenn wir vor den Eingang zu unserem Versteck einen Schrank stellen. (Es gibt viele Hausdurchsuchungen. Sie wollen versteckte Fahrräder finden.) Aber das muss natürlich ein Schrank sein, den man drehen kann und der wie eine Tür aufgeht. Herr Voskuijl hat das Ding gebaut. (Wir haben ihn inzwischen informiert, dass wir sieben uns hier versteckt haben, und er hilft uns gern.)

Wenn wir nach unten gehen wollen, müssen wir uns jetzt immer erst bücken* und dann einen Sprung machen. Nach drei Tagen hatten wir alle Beulen** am Kopf, weil sich jeder an der niedrigen Tür stieß. Peter hat dann etwas Weiches an die Stelle an der Tür gemacht. Mal sehen, ob es hilft!
Lernen tue ich nicht viel. Bis September mache ich Ferien. Danach will Vater mir Unterricht geben. Doch erst müssen wir die neuen Schulbücher kaufen.
Viel passiert in unserem Leben hier nicht. Peters Haare sind frisch gewaschen, aber das ist nicht so etwas Besonderes. Herr van Daan und ich haben dauernd Streit. Mama tut immer, als ob ich ein Baby wäre. Und das mag ich überhaupt nicht. Peter finde ich noch immer nicht netter. Er ist ein langweiliger Junge. Er liegt den ganzen Tag faul auf seinem Bett, baut mal ein bisschen was aus Holz und ruht sich dann wieder aus. Er ist ja so dumm!
Mama hat heute Morgen wieder ewig mit mir geschimpft. Wir haben nie die gleiche Meinung. Papa ist so lieb, auch wenn er mal fünf Minuten böse auf mich ist.
Draußen ist schönes, warmes Wetter, und selbst in unserer Situation machen wir das Beste draus, soweit das geht. Wir legen uns dann eben auf dem Dachboden aufs Bett.

Deine Anne

* **bücken:** den oberen Teil des Körpers nach vorne und unten bewegen
** **die Beule:** Stelle am Körper, die dick und blau wird, weil man sich gestoßen hat

Text 9

Sonntag, 27. September 1942

Liebe Kitty!

Heute habe ich wieder eine so genannte „Diskussion“ mit Mutter gehabt. Das Schlimme ist, dass ich immer sofort anfange zu weinen. Ich kann es nicht ändern. Papa ist immer lieb zu mir, und er versteht mich auch viel besser. Ach, ich mag Mutter in solchen Momenten nicht und ich bin für sie auch eine Fremde. Das sieht man gleich. Sie weiß noch nicht einmal, wie ich über die normalsten Dinge denke.

Wir sprachen darüber, dass man nicht mehr Dienstmädchen* sagen sollte, sondern Haushaltshilfe**, und dass man das nach dem Krieg sicher machen muss. Ich war nicht gleich überzeugt. Und da sagte sie, dass ich oft über „später“ spreche und dann immer die große Dame spiele. Aber das ist überhaupt nicht wahr. Ich habe halt Wunschträume. Das ist doch nicht schlimm. Das muss man doch nicht so ernst nehmen. Papi hilft mir wenigstens. Ohne ihn würde ich das hier alles nicht aushalten***.

Auch mit Margot verstehe ich mich nicht sehr gut. Es gibt in unserer Familie zwar nicht so einen Streit wie bei den van Daans, aber es ist trotzdem nicht immer gemütlich bei uns. Ich bin ganz anders als Margot und Mutter. Sie sind so fremd für mich. Ich verstehe mich mit meinen Freundinnen besser als mit meiner eigenen Mutter. Das ist schade, nicht wahr!

Frau van Daan ist wieder beleidigt. Ihre Stimmung ist mal so und mal so. Sie schließt immer mehr von ihren eigenen Sachen weg. Schade, dass Mutter das nicht auch macht, immer wenn Frau Daan etwas wegschließt.

Für manche Leute ist es wohl ein besonderes Vergnügen, wenn sie nicht nur ihre eigenen Kinder erziehen, sondern auch die Kinder von Bekannten. So sind auch die van Daans. Margot muss man

---

* **das Dienstmädchen:** *alt:* Angestellte in einem Haushalt
** **die Haushaltshilfe:** Angestellte in einem Haushalt
*** **aushalten:** eine schwierige Situation ertragen

nicht erziehen. Sie ist von Natur aus gut, lieb und klug. Aber ich habe so viele schlechte Gewohnheiten; die reichen sogar noch für Margot. Oft fliegen beim Essen kritische Worte und freche Antworten hin und her. Vater und Mutter nehmen mich immer in Schutz. Ohne sie könnte ich gar nicht so kämpfen. Meine Eltern sagen zwar, dass ich weniger reden soll. Und ich soll nicht immer meine Meinung zu allem sagen und nicht so viel wollen. Aber das schaffe ich selten. Vater ist so geduldig. Das ist auch sehr wichtig für mich. Sonst hätte ich keine Hoffnung, dass ich das schaffe, was meine Eltern von mir fordern. Und dabei fordern sie wirklich nicht zu viel.

Wenn ich von einem Gemüse, das ich nicht mag, wenig nehme und statt Gemüse dann Kartoffeln esse, findet mich Frau van Daan verwöhnt*. Sie sagt gleich: „Nimm noch etwas Gemüse, Anne, komm!" „Nein danke!", antworte ich. „Mir reichen die Kartoffeln." „Gemüse ist sehr gesund. Das sagt deine Mutter auch. Nimm noch etwas!", sagt sie. Sie hört einfach nicht auf, bis Vater mir hilft und mir Recht gibt.

Dann fängt Frau van Daan an zu schimpfen: „Bei uns zu Hause hat man die Kinder erzogen! Das ist doch keine Erziehung! Anne ist schrecklich verwöhnt, ich würde das nicht akzeptieren. Wenn Anne meine Tochter wäre …" Das ist immer der Anfang und das Ende von all ihren vielen unnötigen Worten: „Wenn Anne meine Tochter wäre …" Zum Glück bin ich das nicht.

Aber zurück zum Thema Erziehung. Gestern gab es nach Frau van Daans letzten Worten eine Stille. Dann sagte Vater: „Ich finde, dass Anne sehr gut erzogen ist. Sie hat wenigstens schon so viel gelernt, dass sie auf Ihre langen Reden am besten keine Antwort mehr gibt. Und zum Thema Gemüse, da kann ich nur sagen: Sie sind ja auch nicht besser."

Damit hatte Vater im Kampf gegen Frau van Daan gesiegt. Vater meinte damit, dass sie abends keine Bohnen und überhaupt keinen

* **verwöhnt:** eine Person, die immer bekommt, was sie will und das auch erwartet

Kohl* isst, weil es dann bei ihr „Winde" gibt. Sie ist doch idiotisch**, nicht wahr? Soll sie wenigstens über mich den Mund halten.
Es ist komisch, wie schnell Frau van Daan rot wird. Ich nicht, bätsch! Und darüber ärgert sie sich bestimmt schrecklich.

Deine Anne

* **der Kohl:** Gemüse, das man oft im Winter isst
** **idiotisch:** dumm

Text 10

Dienstag, 29. September 1942

Liebe Kitty!

Leute, die sich verstecken müssen, erleben seltsame Sachen! Weil wir keine Badewanne haben, waschen wir uns in einer großen Schüssel. Und weil nur das Büro im unteren Stockwerk warmes Wasser hat, baden wir dort alle sieben der Reihe nach. Weil wir aber so verschieden sind, hat sich jedes Familienmitglied einen anderen Badeplatz gesucht. Das liegt auch daran, dass einige von uns mehr Schamgefühl* haben als andere. Peter badet in der Küche, obwohl die Küche eine Glastür hat. Wenn er baden will, sagt er jedem von uns, dass niemand in der nächsten halben Stunde an der Küche vorbeigehen darf. Er denkt, das ist genug. Herr van Daan badet ganz oben. Er fühlt sich sicherer, wenn er in seinem eigenen Zimmer ist. Aber das ist viel Arbeit. Er muss das heiße Wasser die Treppen hoch tragen. Frau van Daan badet bis jetzt überhaupt nicht. Sie wartet ab, welcher Platz der beste ist. Vater badet im Privatbüro, Mutter in der Küche hinter einem Ofenschirm**. Margot und ich haben das vordere Büro gewählt. Samstagnachmittags sind dort die Vorhänge zu. Dann waschen wir uns im Dunkeln. Die, die nicht badet, schaut vorsichtig zwischen den Vorhängen aus dem Fenster. So kann man die komischen Leute draußen beobachten.

Seit letzter Woche gefällt mir dieses Bad nicht mehr. Ich habe einen bequemeren Platz gesucht. Peter hat mich auf die Idee gebracht: Ich kann ja meine Schüssel in die große Bürotoilette stellen. Da kann ich mich hinsetzen, Licht machen, die Tür abschließen und das Wasser weggießen, ohne dass mir jemand helfen muss. Und ich muss keine Angst vor neugierigen Blicken haben. Am Samstag habe ich mein schönes Badezimmer zum ersten Mal benutzt. Es ist zwar verrückt, aber ich finde es besser als jeden anderen Platz.

---

* **das Schamgefühl:** ein unangenehmes Gefühl, wenn etwas zu intim ist

** **der Ofenschirm:** eine Metalltafel, die vor dem Ofen steht, um das Zimmer vor Feuer zu schützen

Am Mittwoch war ein Handwerker im Haus. Er hat die Rohre von der Bürotoilette auf den Flur gelegt. Das ist nötig, denn sonst kann im Winter das Wasser in den Rohren einfrieren*. Der Besuch vom Handwerker war für uns überhaupt nicht angenehm. Nicht nur, weil tagsüber das Wasser nicht laufen durfte, wir durften natürlich auch nicht aufs Klo.

Es ist jetzt nicht so schön, wenn ich dir erzähle, was wir getan haben. Aber ich habe auch keine Probleme, über solche Dinge zu sprechen. Vater und ich haben uns eine Art Nachttopf angeschafft. Das haben wir gleich am Anfang gemacht, als wir uns versteckt haben. Weil wir nichts anderes hatten, haben wir ein großes Glas genommen. Diese Gläser haben wir ins Zimmer gestellt, solange der Handwerker da war. Und wir mussten das, was wir da ins Glas gemacht hatten, den ganzen Tag aufheben. Das fand ich längst nicht so furchtbar wie die Tatsache, dass ich den ganzen Tag stillsitzen musste und nicht reden durfte. Du kannst dir gar nicht vorstellen, wie schwer das für Fräulein Quak-quak-quak war. An normalen Tagen dürfen wir ja auch nur ganz leise reden. Aber jetzt durften wir überhaupt nicht reden und uns überhaupt nicht bewegen. Das ist noch zehnmal schlimmer. Mein Hintern** war nach drei Tagen Sitzen ganz flachgedrückt, fühlte sich an wie ein Stück Holz und tat weh. Sportübungen am Abend haben geholfen.

Deine Anne

---

* **einfrieren:** wenn Wasser zu Eis wird
** **der Hintern:** der Körperteil, auf dem man sitzt

Text 11

Montag, 9. November 1942

Liebe Kitty!

Gestern hatte Peter Geburtstag. Er ist sechzehn geworden. Um acht Uhr bin ich schon nach oben gegangen und habe mit Peter die Geschenke angesehen. Er hat zum Beispiel ein Spiel, einen Rasierapparat und ein Feuerzeug bekommen; nicht weil er so viel raucht – er raucht überhaupt nicht –, sondern weil es so elegant ist.

(...)

Ich muss dir doch auch mal erzählen, wie unsere Situation mit Lebensmitteln aussieht. (Du musst wissen, dass die oben gerne und viel essen!)

Unser Brot kommt von einem sehr netten Bäcker. Das ist ein Bekannter von Herrn Kleiman. Wir bekommen natürlich nicht so viel, wie wir früher zu Hause hatten, aber es reicht. Jetzt kauft man illegal* Lebensmittelkarten. Die werden aber immer teurer. So viel Geld nur für ein Blatt Papier!

Wir haben 270 Pfund Hülsenfrüchte** gekauft (nicht nur für uns, sondern auch für das Büro), damit wir nicht nur hundert Konservenbüchsen*** im Haus haben. Und Hülsenfrüchte sind auch lange haltbar. Die Säcke mit Hülsenfrüchten hingen in dem kleinen Flur hinter der Tür zu unserem Versteck. Einige Säcke sind jetzt ein bisschen kaputt, weil sie so schwer sind. Wir beschlossen dann doch, dass wir die Säcke, die wir im Winter brauchen, nach oben unter das Dach bringen. Peter sollte alle Säcke hochtragen. Fünf von sechs Säcken waren schon oben. Peter trug gerade den sechsten Sack hoch, da riss der Sack. Es regnete, nein, es hagelte braune Bohnen. Sie flogen durch die Luft und die Treppe hinunter. In dem Sack waren ungefähr 50 Pfund. Das war wahnsinnig laut! Unten dachten alle, dass ihnen gleich das alte Haus mit Inhalt auf den Kopf fallen würde. Peter erschrak, dann musste er schreck-

* **illegal:** gegen das Gesetz
** **die Hülsenfrucht:** Gemüse wie Bohnen und Erbsen, die getrocknet lange haltbar sind
*** **die Konservenbüchse:** Dose aus Metall, um Nahrungsmittel haltbar zu machen

lich lachen. Denn ich stand da, wie eine Insel in einem Bohnenmeer. Die Füße konnte man nicht mehr sehen und drumherum diese braunen Dinger. Schnell sammelten wir alle Bohnen auf. Aber Bohnen sind so glatt und klein, dass sie in allen Ecken und Löchern landen. Jedes Mal, wenn jetzt jemand die Treppe hinaufgeht, sammelt er eine Hand voll Bohnen und bringt sie Frau von Daan.

Deine Anne

(…)

Text 12

Dienstag, 10. November 1942

Liebe Kitty!

Tolle Nachrichten, wir wollen eine achte Person bei uns aufnehmen! Ja wirklich, wir sind immer der Meinung gewesen, dass es hier genug Platz und Essen für eine achte Person gibt. Wir hatten nur Angst, dass es für Kugler und Kleiman zu viel ist. Als nun die Berichte, was den Juden passiert, immer schlimmer wurden, hat Vater unsere Helfer höflich gefragt. Sie fanden diese Idee ausgezeichnet. „Die Gefahr ist für sieben Personen genau so groß wie für acht“, sagten sie ganz richtig. Als das klar war, haben wir darüber nachgedacht, wen wir alles kennen. Wir mussten einen Menschen finden, der allein ist und gut zu unserer Versteckfamilie passt. Es war nicht schwer, so jemanden zu finden. Nachdem Vater keine Verwandten der Familie van Daan wollte, wählten wir einen Zahnarzt, der Albert Dussel heißt. Er lebt mit einer viel jüngeren und netten Christin zusammen. Verheiratet sind sie wahrscheinlich nicht, aber das ist ja auch nicht wichtig. Man sagt, dass er ruhig und höflich ist. Wir kennen ihn nur kurz, aber van Daans und wir glauben, dass er sympathisch ist. Miep kennt ihn auch, sodass sie alles regeln kann. Wenn er kommt, muss er in meinem Zimmer schlafen. Margot zieht dann zu den Eltern.

Wir werden ihn fragen, ob er etwas mitbringen kann, um kaputte Zähne zu reparieren.

Deine Anne

Übungen (Text 8 – 12)

Text 13

Dienstag, 17. November 1942

Liebe Kitty!

Dussel ist angekommen. Es hat alles gut geklappt. Miep hatte Dussel gesagt, dass er um elf Uhr an einer bestimmten Stelle vor der Post sein muss. Dort würde ihn ein Herr abholen. Dussel stand pünktlich an der richtigen Stelle. Herr Kleiman ging zu ihm und sagte, dass der Herr noch nicht kommen kann. Er soll so lange zu Miep ins Büro gehen. Kleiman stieg in die Straßenbahn und fuhr zurück ins Büro, und Dussel ging denselben Weg zu Fuß.

Um zehn Minuten vor halb zwölf klopfte Dussel an die Bürotür. Miep sagte ihm, dass er seinen Mantel ausziehen soll. So konnte man den Stern nicht sehen. Dann brachte sie ihn ins Privatbüro. Dort kümmerte sich Kleiman um ihn, bis die Putzfrau* weg war. Dann kam Miep und sagte, dass das Privatbüro nicht mehr frei ist. Das stimmte zwar nicht, aber so konnten Miep und Dussel nach oben gehen. Miep öffnete den Drehschrank und stieg hinein. Dussel war völlig überrascht.

Wir sieben saßen oben um den Tisch und erwarteten Dussel mit Kaffee und Kognak**. Miep führte ihn erst in unser Wohnzimmer. Er erkannte sofort unsere Möbel. Aber er dachte überhaupt nicht, dass wir über seinem Kopf sein könnten. Als Miep ihm das erzählte, konnte er es gar nicht glauben. Aber Miep brachte ihn gleich nach oben. Dussel sank auf einen Stuhl und starrte*** uns längere Zeit sprachlos an. Vielleicht suchte er die Wahrheit in unseren Gesichtern. Dann versuchte er zu sprechen, was ihm kaum gelang: „Aber … nein … sind Sie denn nicht in Belgien? Ist der Offizier nicht gekommen? Das Auto? Die Flucht … ist sie nicht gelungen?“

Wir erklärten ihm, dass wir das Märchen von dem Offizier und dem Auto mit Absicht erfunden hatten. So hatten die Leute und die Deutschen, die nach uns suchten, eine falsche Spur. Dussel

---

* **die Putzfrau:** Angestellte, die Wohnungen sauber macht

** **der Kognak:** starkes, alkoholisches Getränk aus Wein (aus Frankreich)

*** **anstarren:** jemanden sehr intensiv anschauen

war sprachlos über so viel Fantasie. Immer wieder schaute er sich mit großen Augen um und studierte unser superpraktisches und schönes Hinterhäuschen. Wir aßen zusammen, dann schlief er ein bisschen, trank dann Tee mit uns. Er ordnete sein bisschen Zeug, das Miep schon vorher gebracht hatte. Und er fühlte sich gleich ziemlich zu Hause. Vor allem, als er diese Regeln für das Leben im Hinterhaus in die Hände bekam (von van Daan).

PROSPEKT UND GEBRAUCHSANWEISUNG FÜR DAS HINTERHAUS

Spezielle Organisation für die Unterkunft von Juden.

Das ganze Jahr geöffnet.

Schöne, ruhige, waldfreie Umgebung im Herzen von Amsterdam. Keine privaten Nachbarn. Man kann das Haus mit der Straßenbahn (Linie 13 und 17) erreichen, aber auch mit dem Auto oder dem Fahrrad. Wenn die Deutschen diese Verkehrsmittel nicht erlauben, geht es auch zu Fuß. Es gibt möblierte und unmöblierte Wohnungen und Zimmer, mit oder ohne Essen.

Miete: gratis

Diätküche, fettfrei

Fließendes Wasser im Badezimmer (leider keine Badewanne) und an einigen Wänden innen und außen. Herrliche Feuerstellen.

Viel Lagerplatz für alle möglichen Dinge. Zwei große, moderne Geldschränke.

Eigene Radiozentrale mit direkter Verbindung nach London, New York, Tel-Aviv und vielen anderen Radiostationen. Diesen Apparat können alle Bewohner ab sechs Uhr abends benutzen. Es gibt keine verbotenen Radiostationen, allerdings dürfen die Bewohner keine deutschen Radiosender hören. Ausnahme: z.B. klassische Musik. Es ist streng verboten, deutsche Nachrichten zu hören (egal, wer sie sendet) und sie weiterzuerzählen.

Ruhezeiten: 10 Uhr abends bis 7.30 Uhr morgens, sonntags 10.15 Uhr. Ruhestunden am Tag gibt es in besonderen Situationen, wenn die Leitung es so entscheidet. Alle müssen unbedingt die

Ruhestunden beachten, weil sie für die Sicherheit der Bewohner notwendig sind!!!
Freizeit: gibt es zur Zeit nicht (also nicht außerhalb des Hauses).
Sprache: Alle müssen immer leise sprechen. Alle Kultursprachen sind erlaubt, also kein Deutsch.
Lesen und Erholung: Das Lesen von deutschen Büchern ist verboten. Ausnahme: wissenschaftliche und klassische Bücher.
Sport: tägliche Übungen.
Singen: Nur leise und nach 6 Uhr abends.
Film: wenn es verabredet ist.
Unterricht: in Stenographie* jede Woche eine schriftliche Lektion. In Englisch, Französisch, Mathematik und Geschichte jederzeit. Bezahlung durch eigenen Unterricht, z.B. Niederländisch.
Spezielle Abteilung für kleine Haustiere, die alles bekommen, was sie brauchen (außer: Ungeziefer**, für das man eine besondere Genehmigung haben muss ...).
Mahlzeiten:
Frühstück: täglich morgens um 9 Uhr, Sonn- und Feiertage ca. 11.30 Uhr.
Mittagessen: Dauert manchmal länger. 1.15 Uhr bis 1.45 Uhr.
Abendessen: kalt und/oder warm, keine feste Zeit, abhängig davon, ob man die Nachrichten hören muss.
Pflichtarbeiten, die für die Helfer zu machen sind: alle sollen bereit sein, bei den Büroarbeiten zu helfen.
Baden: Sonntags ab 9 Uhr dürfen alle im Haus in der großen Schüssel baden. Badeorte: in der Toilette, in der Küche, im Privatbüro oder im vorderen Büro, ganz nach Wunsch.
Starke Getränke: nur, wenn der Arzt sie verschreibt.
Ende.

Deine Anne

Übungen

---

* **die Stenographie:** Schrift mit besonderen Zeichen, die sehr schnelles Schreiben möglich macht
** **das Ungeziefer:** meist kleine Tiere, die schädlich sind

Text 14

Donnerstag, 19. Nov. 1942

Liebe Kitty!
Dussel ist ein sehr netter Mann, so wie wir es dachten. Er war natürlich einverstanden, das Zimmer mit mir zu teilen. Wenn ich ehrlich sein soll, bin ich nicht so glücklich darüber, dass ein Fremder meine Sachen benutzt. Aber es ist ja für eine gute Sache und deshalb mache ich das dann auch gern. „Wenn wir jemanden retten können, ist alles andere nicht so wichtig", sagt Vater. Und da hat er völlig Recht.
Dussel hat mir gleich am ersten Tag viele Fragen gestellt, so z.B., wann die Putzfrau kommt, wann die Badezimmerzeiten sind, wann man auf die Toilette gehen darf. Du wirst lachen, aber das alles ist in einem Versteck gar nicht so einfach. Wir dürfen tagsüber nichts machen, dass sie uns unten hören könnten. Und wenn noch eine Person von außen unten ist, z.B. die Putzfrau, müssen wir besonders vorsichtig sein. Ich erklärte Dussel alles ganz genau. Aber ich wundere mich schon, dass er so lange braucht, bis er alles versteht. Alles fragt er doppelt und behält es auch dann noch nicht. Vielleicht ist er nur überrascht und deshalb so durcheinander und das geht bald vorbei. Sonst ist alles prima.
Dussel hat uns viel von der Welt da draußen erzählt, die wir nun schon so lange vermissen. Es ist traurig, was er alles gewusst hat. So viele Freunde und Bekannte sind weg, zu einem schrecklichen Ziel. Abend für Abend fahren die grünen oder grauen Militärfahrzeuge* vorbei, und sie klingeln an jeder Tür und fragen, ob da auch Juden wohnen. Wenn ja, muss die ganze Familie sofort mit, wenn nicht, gehen sie weiter. Die einzige Lösung ist, dass man sich versteckt. Sie haben auch oft Listen und klingeln nur dort, wo sie wissen, dass sie Geld bekommen können. Dann bezahlen die Leute pro Person eine Summe. Es ist wirklich wie bei den

* **die Militärfahrzeuge.** Fahrzeuge für die, die im Krieg kämpfen

Sklavenjagden*, die es früher gab. Ich sehe es abends vor mir: Reihen von Menschen, die niemandem etwas getan haben, mit weinenden Kindern! Sie müssen immer nur laufen. Ein paar Typen geben Kommandos** und schlagen die Leute, bis sie fast zusammenbrechen. Es gibt keine Ausnahme! Alte, Kinder, Babys, schwangere Frauen, Kranke ... alles, alles geht mit in dem Zug zum Tod.
Wie gut haben wir es hier, wie gut und ruhig. Wenn wir nur nicht so viel Angst um die Menschen hätten, die uns so sehr am Herzen liegen und denen wir nicht helfen können. Ich fühle mich schlecht, weil ich in einem warmen Bett liege, während meine liebsten Freundinnen irgendwo draußen geschlagen werden oder zusammenbrechen.
Ich bekomme selbst Angst, wenn ich an alle denke, denen ich draußen immer so nah war. Und nun sind sie abhängig von den brutalsten*** Menschen, die es jemals gegeben hat.
Und das alles, weil sie Juden sind.

Deine Anne

Übungen

* **die Sklavenjagd:** der Sklave: Mensch, der nicht frei ist und den man zur Arbeit zwingt; die Jagd: Suche, um jemanden zu fangen
** **das Kommando:** Anweisung, vor allem beim Militär
*** **brutal:** roh, unmenschlich

Text 15

Samstag, den 28. November 1942

Liebe Kitty!

Wir haben mehr Licht verbraucht, als wir dürfen. Deshalb müssen wir sehr sparsam sein, sonst bekommen wir gar keinen Strom mehr. Vierzehn Tage kein Licht, hübsch, nicht wahr? Aber wer weiß, vielleicht geht es ja gut! Ab vier oder halb fünf Uhr ist es zu dunkel; man kann nicht mehr lesen. Damit die Zeit nicht zu lang wird, machen wir alle möglichen verrückten Sachen: Ratespiele, Sportübungen im Dunkeln, Englisch oder Französisch sprechen, Bücher kritisieren – das alles wird mit der Zeit langweilig. Gestern Abend habe ich etwas Neues entdeckt: Ich schaue unseren Nachbarn mit einem Fernglas* heimlich in die Zimmer, in denen Licht brennt. Tagsüber dürfen wir die Vorhänge kein bisschen zur Seite schieben, aber wenn es dunkel ist, ist das kein Problem.

Ich wusste früher nie, dass Nachbarn so interessante Menschen sein können. Einige aßen gerade, eine andere Familie zeigte einen Film, und der Zahnarzt gegenüber behandelte eine alte, ängstliche Dame.

Herr Dussel ist ja der Mann, von dem alle immer sagten, dass er so gut mit Kindern umgehen kann und sie auch gern hat. In Wirklichkeit ist es aber so, dass er ein Vertreter der konservativsten Erziehung ist, alles über gute Manieren** weiß, und dieses Wissen auch gerne weitergibt. Ich habe ja das seltene Glück (!), dass ich mit dem gut erzogenen Herrn mein leider sehr enges Zimmer teile. Und alle denken ja, dass ich von uns drei Jugendlichen die bin, die am schlechtesten erzogen ist. Deshalb bin ich gut damit beschäftigt, vor den Ermahnungen*** zu fliehen und so zu tun, als ob ich taub wäre. Das alles würde ja noch gehen, wenn der Herr nicht immer alles weitererzählen würde. Und natürlich beschwert er sich

---

* **das Fernglas:** Gerät, das man vor die Augen hält, um etwas gut sehen zu können, was weit weg ist

** **die Manieren:** das Verhalten

*** **die Ermahnung:** dringendes Bitten, sich besser zu verhalten

bei meiner Mutter. So bekomme ich den Ärger von beiden Seiten. Wenn ich dann noch besonders großes Glück habe, kommt Frau van Daan fünf Minuten später und ich bekomme auch noch Ärger von ihr!
Glaube ja nicht, dass es einfach ist, das schlecht erzogene Zentrum einer Versteckerfamilie zu sein. Wenn ich abends im Bett darüber nachdenke, was ich Schlimmes getan habe, oder was die anderen über mich sagen, bin ich völlig durcheinander. Da gibt es so viel, was ich überprüfen muss. Manchmal lache ich oder ich weine, je nachdem, wie es mir geht. Und dann schlafe ich mit so einem verrückten Gefühl ein und frage mich: „Will ich anders sein, als ich bin? Oder bin ich anders, als ich sein will? Oder tue ich etwas Anderes, als ich will oder bin?"
Lieber Himmel, jetzt bist du sicher durcheinander. Verzeih mir! Aber ich mag jetzt auch nicht durchstreichen*, was ich geschrieben habe. Papier ist in dieser Zeit knapp. Das Papier kann ich also nicht wegwerfen. Am besten liest du die letzten Sätze nicht noch einmal. Die kann man sowieso nicht verstehen!

Deine Anne

Übungen

* **durchstreichen:** einen Strich durch etwas Geschriebenes machen

Text 16

Freitag, 23. Juli 1943

Bep kann im Moment wieder Hefte bekommen, vor allem solche, die Margot fürs Büro braucht. Andere Hefte kann man auch kaufen, aber frag nicht, was das für Hefte sind und wie lange man die noch bekommen kann. Auf den Heften steht zurzeit „Markenfrei erhältlich“. Wie alles, was „markenfrei“ ist, sind die Hefte sehr schlecht. So ein Heft besteht aus zwölf Seiten. Das Papier ist grau und hat schiefe, enge Linien. Margot überlegt, ob sie einen Kurs in Schönschrift* machen soll. Ich habe es ihr empfohlen. Mutter will aber auf keinen Fall, dass ich den Kurs auch mache, wegen meiner Augen. Ich finde das dumm. Es ist doch egal, ob ich das mache oder etwas anderes.

Du hast ja noch nie einen Krieg mitgemacht, Kitty. Und auch wenn du meine Briefe kennst, so weißt du doch wenig vom Verstecken. So will ich dir zum Spaß mal erzählen, was der erste Wunsch von uns acht ist, wenn wir wieder mal herauskommen.

Margot und Herr van Daan wünschen sich am meisten ein heißes Bad, die Badewanne bis oben hin gefüllt. Darin wollen sie mehr als eine halbe Stunde lang bleiben. Frau van Daan will am liebsten sofort Torten essen. Dussel kennt nichts als seine Freundin, und Mutter ihre Tasse Kaffee. Vater geht zu Voskuijls, Peter in die Stadt und ins Kino, und ich würde vor lauter Freude nicht wissen, wo ich anfangen soll.

Am meisten vermisse ich unsere eigene Wohnung, freie Bewegung, und Hilfe beim Lernen. Das heißt, ich vermisse die Schule!

Bep hat uns angeboten, Obst zu kaufen. Aber das kostet unheimlich viel. Und in der Zeitung steht jeden Tag mit großen Buchstaben, dass es Wucher** ist, die Preise dauernd zu erhöhen.

Übungen

* **die Schönschrift:** die Kunst, schön zu schreiben

** **der Wucher:** viel zu hohe Preise

Text 17

Montag, 26. Juli 1943

Beste Kitty!

Gestern war bei uns ein sehr unruhiger Tag, und wir sind immer noch nervös. Eigentlich regen wir uns fast jeden Tag auf.

Morgens beim Frühstück gab es zum ersten Mal Voralarm*. Aber das stört uns nicht, weil das bedeutet, dass die Flugzeuge an der Küste sind. Nach dem Frühstück habe ich mich eine halbe Stunde hingelegt, denn ich hatte starke Kopfschmerzen. Dann ging ich hinunter ins Büro. Es war ungefähr zwei Uhr. Um halb drei war Margot mit ihrer Büroarbeit fertig. Sie hatte noch nicht alles aufgeräumt, als die Sirenen heulten**. Deshalb ging ich mit ihr nach oben. Es war wirklich Zeit, denn fünf Minuten später hörten wir schon, dass sie draußen schießen. Es war so laut, dass wir uns in den Flur stellten. Es war ein schrecklicher Lärm und die Bomben*** fielen. Ich drückte die Tasche, die ich für die Flucht gepackt habe, fest an mich. Das tat ich vor allem, um mich an etwas festzuhalten, denn weggehen von hier können wir ja nicht. Für uns ist die Straße genauso gefährlich wie die Bomben. Nach einer halben Stunde kamen weniger Flugzeuge, aber es gab wieder Leben im Haus. Peter hatte alles vom vorderen Dach aus beobachtet und kam jetzt herunter. Dussel war im vorderen Büro, Frau van Daan fühlte sich im Privatbüro sicher. Herr van Daan hatte auch von oben zugeschaut. Und wir im Flur wollten jetzt auch den Rauch**** über dem Hafen von Amsterdam sehen. Bald roch es überall verbrannt, und draußen über der Stadt hing ein dicker Nebel. So sah es jedenfalls aus.

Wenn es so schlimm brennt, sieht das nicht schön aus, aber wir waren froh, dass wir es mal wieder glücklich geschafft hatten. Wir machten also weiter mit unseren Tätigkeiten.

---

* **der Voralarm:** Alarm vor dem eigentlichen Alarm, um Menschen zu warnen

** **die Sirenen heulen:** Lautsprecher, die bei Gefahr mit sehr lauten Alarmgeräuschen warnen

*** **die Bombe:** Waffe aus Metall, die aus Flugzeugen geworfen wird und viel zerstört

**** **der Rauch:** Wolken, die entstehen, wenn etwas brennt

Abends beim Essen: Alarm! Wir hatten ein leckeres Essen, aber als ich den Alarm hörte, hatte ich schon keinen Appetit mehr. Es passierte jedoch nichts, und eine Dreiviertelstunde später gab es keine Gefahr mehr. Als wir das Geschirr abwaschen wollten: Alarm, Schießen, furchtbar viele Flugzeuge. Oje, zweimal an einem Tag, das ist sehr viel, dachten wir. Aber wir konnten nichts machen, wieder regnete es Bomben. Dieses Mal auf der anderen Seite der Stadt. Die Flugzeuge tauchten, stiegen, flogen schnell wie der Blitz durch die Luft, und es war sehr unheimlich. Jeden Augenblick dachte ich, jetzt fällt er runter, das war's dann.
Glaube mir, dass ich meine Beine noch nicht gerade halten konnte, als ich um neun Uhr ins Bett ging. Punkt zwölf wurde ich wach: Flugzeuge! Dussel zog sich gerade aus. Ich kümmerte mich nicht darum. Ich sprang beim ersten Schuss aus dem Bett. Ich war ganz wach. Bis ein Uhr war ich bei Vater, um halb zwei im Bett, um zwei wieder bei Vater, und sie flogen immer und immer noch. Dann hörten wir keinen Schuss mehr, und ich konnte zurück. Um halb drei bin ich eingeschlafen.
Sieben Uhr. Sofort saß ich im Bett. Van Daan war bei Vater. Einbrecher, das war mein Gedanke. Ich hörte, wie van Daan sagte: „Alles." Und ich dachte, dass die Einbrecher alles gestohlen haben. Aber nein, es war ein wunderbarer Bericht, wie wir ihn vielleicht noch nie in den Kriegsjahren gehört haben. Mussolini regiert nicht mehr Italien.
„Hurra!" Nach dem schrecklichen Tag gestern endlich wieder etwas Gutes und … Hoffnung! Hoffnung auf das Ende! Hoffnung auf den Frieden!
Auch heute Morgen gab es wieder Alarm. Wieder sind Flugzeuge über uns geflogen, und noch einmal Voralarm. Ich kann kaum atmen mit all diesen Alarmen, bin nicht ausgeschlafen und habe keine Lust zu arbeiten. Aber wir sind gespannt, wie es mit Italien weitergeht und die Hoffnung macht uns wach.

Deine Anne

Übungen

Text 18

Donnerstag, 16. September 1943

Liebe Kitty!

Wir verstehen uns hier immer schlechter, je länger es dauert. Wenn wir am Tisch sitzen, möchte niemand den Mund aufmachen (außer, um etwas zu essen). Denn egal was man sagt: Einer ist immer beleidigt oder versteht es falsch. Herr Voskuijl kommt manchmal zu Besuch. Leider geht es ihm sehr schlecht. Er macht es seiner Familie auch nicht einfacher, weil er immer denkt: Was kann es mir noch ausmachen, ich sterbe sowieso bald! Ich kann mir die Stimmung bei Voskuijls zu Hause gut vorstellen. Ich muss nur dran denken, wie nervös und aggressiv hier schon alle sind.

Ich schlucke jeden Tag Baldriantabletten*, gegen Angst und Depression, aber das hilft nicht. Meine Stimmung ist am nächsten Tag noch schlechter. Einmal richtig laut lachen – das würde mehr helfen als zehn Baldriantabletten. Aber wir können gar nicht mehr richtig lachen. Manchmal habe ich Angst, dass ich ein hartes, unbewegliches Gesicht und Falten** um den Mund bekommen werde, weil ich immer so ernst bin. Mit den anderen ist es auch nicht besser. Alle haben Angst vor dem Winter, der vor uns liegt.

Da gibt es noch etwas, das uns nicht gerade fröhlich macht. Der Lagerarbeiter van Maaren findet das Hinterhaus inzwischen verdächtig. Das merkt doch jeder, der ein bisschen nachdenkt, dass Miep, Bep und Kleiman dauernd sagen, dass sie irgendwo im Haus beschäftigt sind. Und Kugler behauptet, das Hinterhaus gehört nicht zu dem Gebäude, sondern zum Nachbarhaus. Es könnte uns egal sein, was Herr van Maaren denkt. Aber wir wissen, dass er nicht zuverlässig und sehr neugierig ist. Mit ein paar leeren Worten ist er nicht zufrieden.

Eines Tages wollte Kugler mal besonders vorsichtig sein. Er zog um zehn Minuten vor halb eins seinen Mantel an und ging zur Drogerie um die Ecke. Keine fünf Minuten später war er wieder

---

* **die Baldriantabletten:** Tabletten aus der Pflanze Baldrian, die beruhigend wirken

** **die Falten:** tiefe Linien in der Haut, vor allem bei alten Menschen

zurück. Er bewegte sich vorsichtig wie ein Dieb über die Treppe und kam zu uns. Um Viertel nach eins wollte er wieder gehen, aber auf der Treppe traf er Bep. Sie warnte Kugler und sagte, dass van Maaren im Büro ist. Kugler ging sofort wieder zurück und saß bis halb zwei bei uns. Dann nahm er seine Schuhe in die Hand und ging auf Strümpfen (obwohl er eine Erkältung hatte) zur Tür beim vorderen Dach. Dort ging er vorsichtig Stufe um Stufe die Treppe hinunter (die Treppe ist sehr laut) und kam dann nach einer Viertelstunde von der Straßenseite ins Büro. Van Maaren war wieder weg. Das hatte Bep geschafft. So kam sie, um Herrn Kugler bei uns abzuholen, aber der war schon längst weg. Er war noch mit den Strümpfen auf der Treppe. Was haben die Leute wohl gedacht, als der Direktor seine Schuhe draußen wieder anzog? Hach, der Direktor in Socken!

Deine Anne

Übungen

Text 19

Montagabend, 8. November 1943

Liebe Kitty!

Wenn du meine vielen Briefe einen nach dem andern lesen könntest, würdest du sicher merken, in was für unterschiedlichen Stimmungen ich sie geschrieben habe. Ich finde es selbst schlimm, dass ich hier im Hinterhaus so sehr von Stimmungen abhängig bin. Übrigens nicht nur ich, wir alle sind es. Wenn ich ein Buch lese, das auf mich einen besonderen Eindruck macht, muss ich danach erst gründlich Ordnung in mir selbst machen, bevor ich wieder unter die Leute gehe. Sonst würden die anderen denken, dass ich ein bisschen komisch im Kopf bin. Im Augenblick bin ich mal wieder eher traurig und ohne Hoffnung. Das wirst du sicher merken. Ich kann dir wirklich nicht sagen, warum, aber ich glaube das ist, weil ich so oft spüre, dass ich einfach keinen Mut habe.

Heute Abend, als Bep noch hier war, klingelte es laut und intensiv. Ich wurde sofort weiß im Gesicht, der Bauch tat mir weh und ich hatte Herzklopfen*. Und das alles, weil ich Angst hatte.

Abends im Bett sehe ich mich allein in einem Gefängnis, ohne Vater und Mutter. Manchmal laufe ich verloren auf der Straße herum, oder unser Hinterhaus brennt, oder sie kommen uns nachts holen, und ich lege mich unter das Bett, weil ich so große Angst habe. Ich sehe alles so, als würde ich es wirklich erleben. Und dann noch das Gefühl, das alles könnte sofort passieren!

Miep sagt oft, dass sie manchmal gerne mit uns tauschen würde, weil wir hier Ruhe haben. Das stimmt vielleicht, aber an unsere Angst denkt sie sicher nicht. Ich kann mir überhaupt nicht vorstellen, dass die Welt für uns je wieder normal wird. Ich spreche zwar über „nach dem Krieg", aber dann ist es so, als würde ich über etwas sprechen, was es nur in meiner Fantasie gibt und niemals Wirklichkeit werden kann.

---

* **das Herzklopfen:** schneller schlagendes Herz, z.B. bei Angst

Ich sehe uns acht im Hinterhaus, als wären wir ein Stück blauer Himmel mit einem Ring aus schwarzen, schwarzen Regenwolken um uns herum. Der runde kleine Fleck, auf dem wir stehen, ist noch sicher, aber die Wolken kommen immer näher. Der Ring, der uns vor der Gefahr trennt, wird immer enger. Jetzt wird es immer dunkler und die Gefahr ist schon so nah, dass wir uns gegenseitig stoßen, wenn wir versuchen, uns zu retten. Wir schauen nach unten, wo die Menschen gegeneinander kämpfen, wir schauen nach oben, wo es ruhig und schön ist. Und wir sind von unten und oben getrennt. Nirgendwo können wir hingehen. Vor uns steht eine dicke Mauer, die uns zerstören will, aber noch nicht kann. Ich kann nur rufen und bitten: „O Ring, Ring, werde weiter und öffne dich für uns!“

Deine Anne

Übungen

Text 20

Sonntag, 2. Januar 1944

Liebe Kitty!

Heute Morgen hatte ich nichts zu tun. So las ich ein bisschen in meinem Tagebuch. Immer wieder fand ich Briefe mit dem Thema „Mutter“. Ich hatte in so starken Worten über das Thema geschrieben, dass ich über mich selbst erschrak. Ich fragte mich: „Anne, bist das wirklich du, die da so über Hass gesprochen hat? O Anne, wie konntest du das tun?“

Mit dem offenen Tagebuch in der Hand dachte ich nach. Warum war ich so wütend und habe so sehr gehasst, dass ich dir, liebe Kitty, das alles schreiben musste? Ich habe versucht, die Anne zu verstehen und zu entschuldigen, die ich vor einem Jahr war. Denn ich habe ein schlechtes Gewissen, wenn ich dich mit diesen schlimmen Briefen allein lasse. Ich muss dir wenigstens jetzt erklären, wie ich so geworden bin. Ich litt (und ich leide) unter Stimmungen und so habe ich alles immer nur von meinem persönlichen Standpunkt aus gesehen. Ich habe nicht versucht, ruhig über Mutters Worte nachzudenken. Und ich habe auch nicht daran gedacht, dass

ich sie beleidige oder traurig mache, wenn ich mich so wild und unkontrolliert verhalte.
Ich habe mich in mir selbst versteckt, nur auf mich selbst geschaut. Meine Freude, meinen Spott* und meine Traurigkeit; das alles habe ich in mein Tagebuch geschrieben. Dieses Tagebuch ist für mich jetzt schon wertvoll, weil es oft ein Memoirenbuch** geworden ist. Aber über viele Seiten könnte ich schreiben: „Das ist schon vorbei". Ich war wütend auf Mutter (und bin es noch oft). Sie verstand mich nicht, das ist wahr. Aber ich verstand sie auch nicht. Sie liebte mich und hat diese Liebe auch gezeigt. Aber ich habe sie oft in Situationen gebracht, die gar nicht angenehm für sie waren. Dadurch und durch die traurigen Verhältnisse wurde sie nervös und bekam schlechte Laune. Kein Wunder, dass sie oft mit mir schimpfte.
Ich nahm das viel zu ernst, war dann beleidigt und frech zu ihr. Und das hat sie wieder verletzt. Es war also eigentlich ein Hin und Her von Ärger und Streit. Das war für uns beide nicht schön, aber es geht vorbei. Dass ich vor allem Mitleid*** mit mir selbst hatte, kann man sicher verstehen.
Die schlimmen Sätze zeigen nur, wie wütend ich war. So würde ich im normalen Leben sicher nicht reagieren. Da würde ich vielleicht in meinem Zimmer hinter geschlossener Tür ein paar Mal mit dem Fuß auf den Boden treten oder hinter Mutters Rücken schimpfen. Jetzt verurteile ich Mutter nicht mehr und ich weine auch nicht. Die Zeit ist vorbei. Ich bin klüger, und Mutter hat sich auch beruhigt. Ich sage meistens nichts, wenn ich mich ärgere und Mutter tut das auch. So geht es uns viel besser. Aber Mutter so richtig lieben, wie ein kleines Kind, das kann ich nicht.
Es ist besser, wenn schlimme Worte auf dem Papier stehen, als dass Mutter sie in ihrem Herzen tragen muss. So beruhige ich mein Gewissen.

Deine Anne

Übungen

* **der Spott:** Worte, die andere verletzen oder mit denen man sich über andere lustig macht
** **das Memoirenbuch:** ein Buch, in dem Erinnerungen aufgeschrieben sind
*** **das Mitleid:** einem Menschen helfen wollen, der einem leid tut

Text 21

Sonntag, 28. Januar 1944

Liebe Kitty!
Heute Morgen habe ich mich gefragt, wie du dich fühlst, wenn du wieder und wieder die immer selben alten Neuigkeiten lesen musst. Bestimmt gähnst* du laut und wünschst dir dann, dass Anne mal was Neues findet.
Tut mir leid! Ich weiß, dass das Alte langweilig für dich ist, aber stell dir mal vor, wie langweilig die alten, immer gleichen Geschichten für mich sind. Wenn es bei einem Gespräch beim Essen nicht um Politik oder wunderbare Mahlzeiten geht, dann erzählen Mutter und Frau van Daan immer wieder die gleichen bekannten Geschichten aus ihrer Jugend. Oder Dussel redet dummes Zeug über den reich gefüllten Kleiderschrank seiner Frau, über schöne Rennpferde, über Boote, die nicht dicht sind. Oder er redet über Jungen, die mit vier Jahren schwimmen können, von Muskelkater** und von ängstlichen Patienten. Wenn einer von den acht seinen Mund aufmacht, können die anderen sieben seine angefangene Geschichte fertig machen. Wir kennen jeden Witz, und nur der Erzähler lacht darüber. Alle diese Milchmänner, Lebensmittelhändler und Metzger haben unsere Hausfrauen bei Tisch schon so oft gelobt, oder sie haben über sie geschimpft, dass wir sie uns mit einem langen Bart vorstellen. Es ist unmöglich, dass etwas noch jung und frisch ist, wenn es im Hinterhaus ein Thema ist.
Damit könnte man ja noch zurechtkommen. Aber die Erwachsenen haben die schlechte Gewohnheit, Geschichten, die Kleiman, Jan oder Miep erzählt haben, zehnmal nachzuerzählen. Und dabei erfinden sie jedes Mal etwas dazu, sodass ich mich oft unterm Tisch in den Arm kneifen*** muss, damit ich den begeisterten Erzähler nicht korrigiere. Kleine Kinder wie Anne dürfen Erwachsene auf

* **gähnen:** den Mund weit öffnen und tief atmen, wenn man müde ist
** **der Muskelkater:** schmerzende Muskeln nach dem Sport
*** **kneifen:** wenig Haut zwischen die Finger nehmen und so fest drücken, bis es wehtut

keinen Fall verbessern, egal, welche Fehler sie machen, auch wenn sie Unwahrheiten erzählen oder Sachen erfinden.
Ein Thema, über das Kleiman und Jan oft reden, ist das Verstecken. Sie wissen, dass wir mit den Menschen leiden, wenn man Versteckte gefangen nimmt. Und dass wir uns mit den Menschen freuen, wenn Gefangene frei kommen.
Untertauchen* und Verstecken sind jetzt ganz normale Wörter, die man dauernd benutzt. Es gibt viele Organisationen wie „Freie Niederlande". Sie fälschen** Pässe, geben Untergetauchten Geld, finden für sie Verstecke, kümmern sich darum, dass sie Arbeit bekommen. Es ist etwas sehr Besonderes, wie oft, wie herzensgut und ohne eigene Interessen diese Menschen diese Arbeit machen. Sie helfen und retten andere, obwohl das Risiko für ihr eigenes Leben so groß ist.
Das beste Beispiel dafür sind doch wohl unsere Helfer, die bis jetzt für uns gesorgt haben und uns hoffentlich ans sichere Ufer bringen. Sonst geht es ihnen wie all denen, die man sucht und die in Gefahr leben. Nie haben wir ein Wort von ihnen gehört, dass sie es schwer mit dieser Situation und mit uns haben. Und es ist bestimmt nicht immer leicht. Niemals klagt einer, dass wir ihnen Mühe machen. Jeden Tag kommen sie zu uns herauf, sprechen mit den Herren über Geschäft und Politik, mit den Damen über Essen und wie schwer die Kriegszeit ist, mit den Kindern über Bücher und Zeitungen. Sie machen, soweit es geht, ein fröhliches Gesicht, bringen Blumen und Geschenke zu Geburts- und Festtagen. Und sie sind immer bereit, uns zu helfen. Das ist etwas, was wir nie vergessen dürfen. Andere zeigen im Krieg oder gegenüber den Deutschen, dass sie mutige Helden sind. Aber unsere Helfer beweisen durch ihre Fröhlichkeit und Liebe, dass sie den Mut von Helden haben.
Es gibt die verrücktesten Geschichten, die man sich erzählt. Und die meisten sind wirklich passiert. Kleiman erzählte zum Beispiel diese Woche, dass zwei Fußballmannschaften gegeneinander gespielt haben. Die eine bestand aus Untergetauchten, die

* **untertauchen:** sich verstecken; verschwinden
** **fälschen:** etwas herstellen, das wie das Original aussieht, mit der Absicht zu betrügen

zweite aus Militärpolizisten. In einer Stadt gibt es neue Stammkarten. Damit die vielen Versteckten auch Stammkarten – und damit Lebensmittelkarten – bekommen, haben die Beamten alle Untergetauchten zu einer bestimmten Zeit bestellt, damit sie ihre Ausweise abholen können.
Man muss aber sehr vorsichtig sein, dass die blöden Deutschen nichts über solche tollen Taten erfahren.

Deine Anne

Übungen

Text 22

Freitag, 18. Februar 1944

Liebste Kitty!
Wann immer ich auch nach oben gehe, ist es mein Ziel, „ihn" zu sehen. Mein Leben hier ist jetzt so viel besser geworden. Es hat nun wieder einen Sinn und ich kann mich auf etwas freuen. Der, um den es bei meiner Freundschaft geht, ist wenigstens immer im Haus. Und ich brauche (außer vor Margot) keine Angst vor Rivalen* zu haben. Du brauchst wirklich nicht zu denken, dass ich verliebt bin, das ist nicht wahr. Aber ich habe immer das Gefühl, dass zwischen Peter und mir einmal etwas sehr Schönes wachsen kann: Freundschaft und Vertrauen. Wann immer es möglich ist, gehe ich zu ihm, und es ist nicht mehr so wie früher. Da hat er sich gar nicht für mich interessiert. Jetzt ist es das Gegenteil, er redet noch, wenn ich schon fast zur Tür hinausgegangen bin.
Mutter sieht es nicht gern, dass ich nach oben gehe. Sie sagt immer, dass ich Peter störe und ihn in Ruhe lassen soll. Versteht sie denn nicht, dass ich das merken würde? Immer wenn ich hinaufgehe, schaut sie mich so seltsam an. Wenn ich von oben herunterkomme, fragt sie, wo ich gewesen bin. Das finde ich schlimm, und langsam mag ich sie gar nicht mehr.

Deine Anne M. Frank

---

* **die Rivalen:** Gegner mit demselben Ziel; Konkurrenz

Text 23

Mittwoch, 23. Februar 1944

Liebste Kitty!

Seit gestern ist draußen wunderschönes Wetter und ich habe total gute Laune. Das Schönste, was ich habe, ist meine Schreibarbeit. Und damit mache ich gute Fortschritte. Ich gehe fast jeden Morgen nach oben unters Dach, damit ich frische Luft atmen kann. Heute Morgen, als ich wieder nach oben ging, räumte Peter gerade auf. Ich ging zu meinem Lieblingsplatz. Bald war Peter fertig und er kam auch. Wir schauten den blauen Himmel an, den Kastanienbaum ohne Blätter, an dem überall kleine Tropfen glitzerten*, und die Vögel, die tief flogen und wie Silber** aussahen. Das alles bewegte uns beide so, dass wir nicht miteinander sprechen konnten. Er stand, ich saß. Wir atmeten die Luft ein, schauten hinaus und fühlten, dass man dies nicht mit Worten unterbrechen darf. Wir schauten sehr lange hinaus, und als er anfangen musste, Holz für den Ofen vorzubereiten, wusste ich, dass er ein prima Typ ist. Er kletterte die Treppe zum obersten Dach hinauf, und ich folgte ihm. Während der Viertelstunde, die er Holz klein machte, sprachen wir wieder kein Wort. Ich stand da und schaute ihm zu. Er tat wirklich sein Bestes, um gut zu arbeiten und mir seine Kraft zu zeigen. Aber ich schaute auch aus dem offenen Fenster über ein großes Stück Amsterdam, über alle Dächer. Ich sah bis zum Horizont***, der so hellblau war, dass man ihn kaum mehr sehen konnte.

„Solange es das noch gibt", dachte ich, „und ich es erleben darf, diese Sonne, diesen Himmel, an dem keine Wolke ist, so lange kann ich nicht traurig sein."

Für jeden Menschen, der Angst hat, einsam oder unglücklich ist, ist es bestimmt das beste Mittel, hinauszugehen, irgendwohin, wo er ganz allein ist, allein mit dem Himmel, der Natur und Gott. Dann erst, nur dann, fühlt man, dass alles so ist, wie es sein soll, und dass

---

* **glitzern:** Licht, das auf einen Gegenstand trifft, und dann an vielen Stellen aufblitzt
** **das Silber:** helles, wertvolles Metall, aus dem man Schmuck macht
*** **der Horizont:** Linie, an der Himmel und Erde aneinander stoßen und die weit weg ist

Gott will, dass die Menschen in der einfachen und schönen Natur glücklich sind.
Solange es das noch gibt, und das wird es wohl immer, weiß ich, dass es auf jeden Fall Hoffnung gibt, wenn man Sorgen hat und traurig ist. Und ich glaube fest, dass die Natur viel Schlimmes vertreiben* kann.
Wer weiß, vielleicht dauert es nicht mehr lange, bis ich dieses starke Glücksgefühl mit jemandem teilen kann, der es genauso fühlt wie ich.

Deine Anne

P.S. Gedanken: An Peter
Wir vermissen hier viel, sehr viel, und auch schon lange. Ich vermisse es auch, genau wie du. Du musst nicht denken, dass ich von äußerlichen Dingen spreche. Da haben wir alles, was wir brauchen. Nein, ich meine die inneren Dinge. Ich wünsche mir so sehr Freiheit und Luft, genau wie du. Aber ich glaube, dass wir für das, was uns fehlt, mehr als genug Anderes bekommen haben. Ich meine damit etwas Innerliches, etwas in uns. Als ich heute Morgen vor dem Fenster saß und Gott und die Natur genau und gut ansah, war ich glücklich, nichts anderes als glücklich. Und Peter, solange es dieses innere Glück gibt, das Glück über Natur, Gesundheit und noch sehr viel mehr, solange man das in sich hat, kann man immer wieder glücklich werden.
Geld, der Respekt von anderen Menschen, alles kann man verlieren, aber das Glück im eigenen Herzen kann sich zwar verstecken, aber es wird dich, solange du lebst, immer wieder glücklich machen.
Wenn du allein und unglücklich bist, dann versuche mal, bei schönem Wetter vom obersten Dach aus in den Himmel zu schauen. Solange du ohne Angst und Sorgen den Himmel anschauen kannst, so lange weißt du, dass du innerlich rein bist und wieder glücklich wirst.

* **vertreiben:** etwas dazu bringen, dass es weggeht

Text 24

Samstag, 4. März 1944

Beste Kitty!

Dieser Samstag ist seit Monaten mal nicht so langweilig und traurig wie alle vorherigen. Kein anderer als Peter ist die Ursache. Heute Morgen ging ich nach oben, um meine Schürze* aufzuhängen. Da fragte mich Vater, ob ich nicht bleiben möchte, um ein bisschen

* **die Schürze:** Kleidungsstück, das man zum Schutz gegen Schmutz bei der Arbeit trägt

Französisch zu reden. Ich fand das prima. Wir sprachen zuerst Französisch, ich erklärte etwas, dann machten wir Englisch. Vater las etwas von Charles Dickens* vor, und ich war mehr als glücklich, denn ich saß auf Vaters Stuhl, ganz nah neben Peter.
Um Viertel vor elf ging ich nach unten. Als ich um halb zwölf wieder hinaufkam, stand er schon auf der Treppe und wartete auf mich. Wir redeten bis Viertel vor eins. Wenn es nur irgendwie möglich ist, zum Beispiel nach dem Essen, wenn niemand es hört, sagt er: „Tschüs, Anne, bis später!"
Ach, ich bin so froh! Fängt er jetzt doch an, mich zu mögen? Jedenfalls ist er ein netter Typ, und wer weiß, wie toll ich noch mit ihm reden kann.
Frau van Daan findet es gut, wenn wir zusammen sind, aber heute fragte sie halb im Spaß: „Kann ich euch vertrauen?" „Natürlich", sagte ich protestierend. „Sie beleidigen mich!"
Ich freue mich von morgens bis abends, dass ich Peter sehen werde.

Deine Anne M. Frank

P.S. Das sollte ich nicht vergessen: Heute Nacht ist eine große Menge Schnee gefallen. Jetzt ist schon fast nichts mehr davon zu sehen.

Übungen (Text 22 – 24)

* **Charles Dickens:** englischer Schriftsteller 1812-1870

Text 25

Dienstag, 7. März 1944

Liebe Kitty!

Wenn ich so über mein Leben von 1942 nachdenke, kommt es mir gar nicht wirklich vor. Dieses gute Leben erlebte eine ganz andere Anne Frank als die, die hier jetzt inzwischen vernünftig geworden ist. Ein gutes Leben, das war es. An jedem Finger einen Jungen, der dich bewundert*, ungefähr zwanzig Freundinnen und Bekannte, der Liebling der meisten Lehrer, Vater und Mutter, die alle Wünsche erfüllten, viel Süßes, genug Geld – was will man mehr?

Du wirst mich natürlich fragen, wie ich denn all die Leute so für mich gewonnen habe. Peter sagt „Anziehungskraft“**, aber das stimmt nicht ganz. Die Lehrer fanden meine klugen Antworten, mein lachendes Gesicht und meinen kritischen Blick nett und sie haben sich amüsiert. Mehr war da auch nicht bei mir. Ein paar Vorteile hatte ich, die den anderen gefallen haben. Ich war fleißig, ehrlich und gab gern. Nie hätte ich nein gesagt, wenn jemand bei mir abschreiben wollte. Süßes verteilte ich mit offenen Händen, und ich war nicht eingebildet.***

Viele haben mich ja bewundert. Vielleicht wäre ich mit der Zeit zu stolz geworden. Es ist ein Glück, dass ich in der Wirklichkeit landete, als ich gerade am höchsten flog. Und es hat gut ein Jahr gedauert, bevor ich mich daran gewöhnt hatte, dass mich niemand mehr bewunderte.

Wie sahen sie mich in der Schule? Bei Späßen und Späßchen immer vorne dran und niemals schlechte Laune, keine Tränen. War es ein Wunder, dass jeder mich gerne begleitete oder mich beachtete?

Ich sehe diese Anne Frank jetzt als nettes, lustiges Mädchen, das jedoch nicht tiefer und genauer nachdenken konnte. Diese Anne Frank hat nichts mehr mit mir zu tun. Was sagte Peter über mich? „Wenn ich dich sah, waren um dich herum immer zwei oder mehr

---

* **bewundern:** jemanden oder etwas sehr gut finden

** **die Anziehungskraft:** Kraft eines Menschen, die so wirkt, dass man bei ihm sein möchte

*** **eingebildet sein:** von sich und seinen Fähigkeiten zu sehr überzeugt sein

Jungen und viele Mädchen. Immer hast du gelacht und warst die wichtigste Person!" Er hatte Recht.
Was ist von dieser Anne Frank übrig geblieben? O sicher, mein Lachen und meine Antworten, das alles kann ich noch; und ich kann noch genauso gut oder besser die Menschen kritisieren, ich kann noch genauso flirten* und lustig sein, wenn ich will …
Das ist der Punkt. Ich möchte gerne noch mal für einen Abend, für ein paar Tage, für eine Woche so leben, ohne Sorgen und fröhlich. Am Ende der Woche wäre ich total müde und der ersten Person dankbar, die mit mir vernünftig redet. Ich will niemanden, der mich bewundert, sondern Freunde. Niemand soll mich für mein Lächeln lieben, sondern für mein Auftreten und meinen Charakter**. Ich weiß sehr gut, dass dann der Kreis um mich kleiner würde. Aber was macht das, wenn ich nur ein paar Menschen, ehrliche Menschen behalte.
Trotz allem war ich 1942 auch nicht immer glücklich. Ich fühlte mich oft verlassen, aber weil ich von morgens bis abends beschäftigt war, dachte ich nicht nach und machte Spaß. Mit Witzchen sollte dieses Gefühl, dass alles so leer in mir war, weggehen.
Nun schaue ich auf mein Leben und merke, dass diese Zeit abgeschlossen ist. Die Schulzeit, so ganz ohne Sorgen, kommt niemals zurück. Ich wünsche mir sie auch gar nicht zurück. Das liegt schon hinter mir. Ich kann nicht mehr nur Spaß machen, ein Teil von mir bleibt immer ernst.
Ich sehe mein Leben bis Neujahr 1944 wie unter einer Lupe***. Daheim das Leben mit viel Sonne, dann 1942 hierher, wo sich plötzlich alles verändert hat. Häufig haben wir gestritten, und immer wieder gaben sie mir die Schuld. Ich konnte es nicht glauben. Frech sein, das war für mich die einzige Lösung. So konnte ich mir wenigstens treu bleiben.

---

* **flirten:** durch das Verhalten zeigen, dass man an der anderen Person als Partner interessiert ist
** **der Charakter:** alles, was typisch ist für einen Menschen, was sein Verhalten beeinflusst
*** **die Lupe:** ein Glas, durch das man Dinge größer sieht

Dann die erste Hälfte von 1943: Dauernd musste ich weinen, ich war einsam, langsam habe ich meine Fehler verstanden. Sie sind groß und schienen mir doppelt so groß. Ich redete tagsüber nicht darüber und versuchte, Vater auf meine Seite zu ziehen. Das gelang mir nicht. Ich stand allein vor der schwierigen Aufgabe, mich so zu verändern, dass ich keine Kritik mehr hören musste. Denn diese Kritik lag wie ein schweres Gewicht auf mir, sodass ich überhaupt keinen Mut mehr hatte.

In der zweiten Hälfte des Jahres wurde es besser. Ich wurde ein Teenager* und man hat mich nun als erwachsenere Person angesehen. Ich fing an nachzudenken, Geschichten zu schreiben und ich beschloss, dass die anderen nichts mehr mit mir zu tun hatten. Sie hatten kein Recht, mich hin und her zu stoßen. Ich wollte mich selbst ändern, nach meinen eigenen Wünschen. Ich verstand, dass ich auf Mutter ganz verzichten kann. Das tat weh. Aber eines verletzte mich noch mehr, nämlich als ich erkannte, dass Vater nie mein Vertrauter werden würde. Ich vertraute niemandem mehr, nur noch mir selbst.

Nach Neujahr hat sich zum zweiten Mal etwas sehr verändert. Ich hatte einen Traum. Durch ihn entdeckte ich meine Sehnsucht** nach einem Jungen. Nicht nach einer Mädchenfreundschaft, sondern nach einem Jungenfreund. Ich entdeckte auch das Glück in mir selbst, und erkannte, wie ich mich geschützt hatte, indem ich oberflächlich*** und fröhlich war. Aber ab und zu wurde ich jetzt ruhig. Nun lebe ich nur noch von Peter, denn von ihm hängt sehr viel davon ab, was weiter mit mir passieren wird.

Abends, wenn ich im Bett liege und bete, spreche ich am Ende die Worte: „Ich danke dir für all das Gute und Liebe und Schöne." Dann freue mich von ganzem Herzen. Dann denke ich an „das Gute": das Verstecken, meine Gesundheit, mein ganzes Selbst. „Das Liebe" von Peter, das klein und empfindlich**** ist. Und beide

---

* **der Teenager:** eine jugendliche Person zwischen 10 und 20 Jahren
** **die Sehnsucht:** starker Wunsch nach einem Menschen oder einem Ort
*** **oberflächlich:** nicht tief, nicht gründlich
**** **empfindlich:** leicht zu verletzen

haben wir noch nicht den Mut, es auszusprechen, die Liebe, die Zukunft, das Glück. „Das Schöne", das es auf der Welt gibt, die Welt, die Natur und die große Schönheit von allem, allem Schönen zusammen.
Dann denke ich nicht an das Elend in der Welt, sondern an das Schöne, das noch übrig bleibt. Hier liegt zu einem großen Teil der Unterschied zwischen Mutter und mir. Ihr Rat ist, wenn man traurig ist: „Denke an all das Leid in der Welt und sei froh, dass du das nicht erlebst." Mein Rat ist: „Geh hinaus in die Felder, in die Natur und in die Sonne. Geh hinaus und versuche, wieder das Glück in dir selbst zu finden. Denke an all das Schöne, das noch in dir und um dich ist, und sei glücklich!"
Meiner Meinung nach kann Mutters Satz nicht stimmen, denn was tust du dann, wenn du doch Leid erlebst? Dann bist du verloren. Ich jedoch finde, dass noch bei jeder Sorge etwas Schönes übrig bleibt. Wenn man das untersucht, entdeckt man immer mehr Freude und man fühlt wieder innere Ruhe. Und wer glücklich ist, macht auch andere glücklich. Wer Mut und Vertrauen hat, wird auch im Unglück weiter bestehen.

Deine Anne M. Frank

Übungen

Text 26

Freitag, 17. März 1944

Allerliebster Schatz!*

Es ist noch mal gut gegangen. Beps Erkältung ist keine Grippe geworden, aber sie kann kaum sprechen. Und Herr Kugler muss nicht zum Arbeitsdienst, weil er ein Papier vom Arzt hat. Alle im Hinterhaus sind erleichtert. Alles ist in Ordnung, außer dass Margot und ich immer wieder genug von unseren Eltern haben.

Du darfst das nicht falsch verstehen, ich liebe Vater, und Margot liebt Vater und Mutter, aber wenn man so alt ist wie wir, will man auch ein bisschen für sich selbst entscheiden. Man will mal weg von der Elternhand. Wenn ich nach oben gehe, fragen sie, was ich tun will. Bei Tisch darf ich kein Salz nehmen. Jeden Abend um Viertel nach acht fragt Mutter, ob ich mich nicht ausziehen sollte. Jedes Buch, das ich lese, prüfen sie. Ehrlich gesagt, diese Prüfung ist überhaupt nicht streng, und ich darf fast alles lesen. Aber es geht uns auf die Nerven, dass sie den ganzen Tag etwas sagen und fragen.

Noch etwas: Ich will nicht mehr den ganzen Tag Küsschen hier und Küsschen da geben. All die süßen Kosenamen** finde ich total künstlich. Und ich finde es schrecklich, dass Vater so gerne über die Toilette und „Winde lassen" redet. Kurz, ich möchte sie gern mal eine Zeit lang nicht sehen, und das verstehen sie nicht. Nicht dass wir ihnen etwas davon erzählt haben, nein, wozu auch, es würde nicht helfen.

Margot hat gestern Abend gesagt: „Ich finde es wirklich blöd. Wenn man kurz den Kopf auf die Hände legt und zweimal seufzt***, fragen sie gleich, ob man Kopfweh hat oder sich nicht gut fühlt."

Es tut Margot und mir richtig weh, dass wir nun plötzlich sehen, wie wenig von dem vertrauten und harmonischen Zuhause übrig ist. Und das liegt vor allem daran, dass unser Verhältnis zuein-

---

* **der Schatz:** so nennt man eine Person, die man sehr gern mag

** **der Kosename:** Name für Personen, mit denen man eine enge Beziehung hat, z.B. Kinder

*** **seufzen:** schweres, hörbares Ein- und Ausatmen, z.B. bei Sorgen

ander so schief ist. Ich meine, dass uns unsere Eltern wie kleine Kinder behandeln, wenn es um äußerliche Dinge geht. Und wir sind innerlich viel älter als Mädchen, die so alt sind wie wir. Auch wenn ich erst vierzehn bin, weiß ich doch sehr gut, was ich will, ich weiß, wer Recht und wer Unrecht hat. Ich habe meine Meinung und meine Prinzipien*. Vielleicht klingt das verrückt für einen Teenager, aber ich fühle mich viel mehr Mensch als Kind. Ich fühle mich unabhängig, von wem auch immer. Ich weiß, dass ich besser diskutieren kann als Mutter. Ich weiß, dass ich einen objektiveren** Blick habe und nicht so übertreibe. Ich bin ordentlicher, kann Vieles besser und schneller machen. Und dadurch fühle ich mich (du kannst darüber lachen) in vielen Dingen stärker. Wenn ich jemanden lieben soll, muss ich ihn bewundern können. Und ich muss Respekt haben, aber das alles vermisse ich bei Mutter völlig. Alles wäre gut, wenn ich nur Peter hätte, denn ihn finde ich in vielem besonders toll. Nicht wahr, er ist so ein feiner und hübscher Junge!

Deine Anne M. Frank

Übungen

* **die Prinzipien:** Regeln
** **objektiv:** korrekt, nicht von Gefühlen beeinflusst

Text 27

Mittwoch, 5. April 1944

Liebste Kitty!

Eine Zeit lang wusste ich überhaupt nicht mehr, wofür ich noch arbeite. Das Ende des Krieges ist so furchtbar weit weg, so unwirklich, märchenhaft und schön. Wenn der Krieg im September nicht vorbei ist, dann gehe ich nicht mehr zur Schule, denn zwei Jahre will ich nicht hinterher sein.

Die Tage bestanden aus Peter, nichts als Peter. Nur Träume und Gedanken, bis ich am Samstagabend keine Kraft mehr hatte, fürchterlich. Ich kämpfte bei Peter gegen meine Tränen, lachte später schrecklich viel mit van Daan beim Zitronenpunsch*, war fröhlich und sehr lustig.

Aber kaum war ich allein, wusste ich, dass ich endlich weinen musste. Im Nachthemd** ließ ich mich auf den Boden fallen und betete sehr intensiv und lange, dann weinte ich mit dem Kopf auf den Armen, die Knie ganz nah am Körper. So saß ich da auf dem nackten Boden. Als ich laut seufzte, kämpfte ich sofort wieder gegen meine Tränen, weil sie drüben nichts hören durften. Dann begann ich, mir selbst Mut zu machen. Ich sagte nur immer: „Ich muss, ich muss, ich muss … ." Ich konnte mich kaum noch bewegen, weil ich lange und so seltsam auf dem Boden gesessen hatte. Deshalb fiel ich gegen das Bett und kämpfte weiter, bis ich kurz vor halb elf wieder ins Bett ging. Es war vorbei!

Und jetzt ist es völlig vorbei. Ich muss arbeiten, um nicht dumm zu bleiben, um Fortschritte zu machen, um Journalistin zu werden. Das will ich! Ich weiß, dass ich schreiben kann. Ein paar Geschichten sind gut, meine Beschreibungen aus dem Hinterhaus beweisen viel Humor. Vieles in meinem Tagebuch ist lebendig, aber ob ich wirklich Talent habe, das muss sich noch zeigen.

Ich bin selbst meine beste Kritikerin hier, ich weiß genau, was gut und was nicht gut geschrieben ist. Keiner, der nicht selbst schreibt,

---

* **der Zitronenpunsch:** warmes Getränk aus Zitronensaft, Zucker, Tee und Alkohol

** **das Nachthemd:** Kleidungsstück, das wie ein Kleid aussieht und das man nachts trägt

weiß, wie toll Schreiben ist. Früher fand ich es immer schade, dass ich überhaupt nicht zeichnen kann, aber jetzt bin ich überglücklich, dass ich wenigstens schreiben kann.
Und wenn ich nicht genug Talent habe, um Artikel für die Zeitung oder Bücher zu schreiben, dann kann ich immer noch für mich selbst schreiben. Aber ich will weiterkommen. Ich kann mir nicht vorstellen, dass ich so leben muss wie Mutter, Frau van Daan und all die anderen Frauen, die ihre Arbeit machen und die man später vergisst. Ich muss neben Mann und Kindern etwas haben, für das ich mit ganzem Herzen da bin! O ja, ich will nicht umsonst gelebt haben wie die meisten Menschen. Ich will den Menschen, die um mich herum leben und mich doch nicht kennen, nützen und Freude bringen. Ich will weiterleben, auch nach meinem Tod. Und darum bin ich Gott so dankbar, dass er mir bei meiner Geburt schon eine Möglichkeit gegeben hat, mich zu entwickeln und zu schreiben, also alles sagen zu können, was in mir ist.
Mit dem Schreiben gehen alle Probleme weg. Meine Sorgen verschwinden, mein Mut kommt wieder. Aber, und das ist die große Frage, werde ich jemals etwas Großes schreiben können? Werde ich jemals Journalistin und Schriftstellerin werden?
Ich hoffe es, ich hoffe es so sehr! Wenn ich schreibe, kann ich alles mit meinen Wörtern erzählen: meine Gedanken, meine Ideale und meine Phantasien.
An einem Text habe ich lange nichts mehr getan. In meinen Gedanken weiß ich aber genau, wie es weitergehen soll, aber es ist nicht so richtig geflossen. Vielleicht wird es nie fertig, vielleicht landet es im Papierkorb* oder im Ofen. Das stelle ich mir nicht angenehm vor. Aber dann denke ich wieder: „Mit vierzehn Jahren und so wenig Erfahrung kann man auch noch nichts Philosophisches schreiben."
Also weiter, mit neuem Mut. Es wird schon gelingen, denn schreiben will ich!

Deine Anne M. Frank

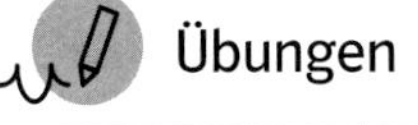

Übungen

* **der Papierkorb:** Abfalleimer für Papier

Text 28

Dienstag, 11. April 1944

Liebste Kitty!

Ich bin ganz durcheinander, ich weiß wirklich nicht, womit ich anfangen soll. Der Donnerstag war noch normal. Am Freitag (Karfreitag)* spielten wir nachmittags zusammen, und am Samstag auch. Die Tage vergingen sehr schnell. Am Samstag gegen zwei gab es eine Schießerei. Sonst war alles ruhig.

(…)

Um halb zehn abends klopfte Peter leise an die Tür und fragte Vater, ob er ihm mal schnell bei einem schwierigen englischen Satz helfen würde.

„Das ist verdächtig", sagte ich zu Margot. „Das ist nicht der wirkliche Grund, warum er gekommen ist – so wie die Herren miteinander reden. Ich glaube, jemand ist eingebrochen."

Es stimmte, was ich vermutet hatte. Im Lager war gerade jemand dabei einzubrechen. Sehr schnell waren Vater, van Daan und Peter unten. Margot, Mutter, Frau van Daan und ich warteten. Vier Frauen, die Angst haben, müssen reden. So auch wir, bis wir unten einen Schlag** hörten. Danach war alles still, es war Viertel vor zehn. In unseren Gesichtern gab es keine Farbe mehr, aber noch waren wir ruhig, wenn auch ängstlich. Wo waren die Herren geblieben? Was war das für ein Schlag? Kämpften sie vielleicht mit den Einbrechern? Weiter dachten wir nicht, wir warteten.

Zehn Uhr: Schritte auf der Treppe. Vater, blass und nervös, kam herein, hinter ihm Herr van Daan. „Licht aus, leise nach oben, wir erwarten Polizei im Haus!"

Es blieb keine Zeit für Angst. Die Lichter gingen aus, ich nahm noch schnell eine Jacke, und wir waren oben.

„Was ist passiert? Schnell, erzählt!"

Aber die Herren waren nicht mehr da. Sie waren wieder unten. Erst um zehn nach zehn kamen sie alle vier herauf. Zwei waren

---

* **Karfreitag:** der Freitag vor Ostern (Feiertag)

** **der Schlag:** *hier:* starkes, lautes Geräusch

an Peters offenem Fenster und passten auf. Die Tür zur Treppe war abgeschlossen, der Drehschrank zu. Über die kleine Lampe hängten wir einen Pullover, dann erzählten sie:
Peter hörte auf der Treppe zwei harte Schläge, lief nach unten und sah, dass an der linken Seite der Tür, die zum Lager führt, ein großes Brett* fehlte. Er rannte nach oben, sagte den Herren Bescheid, und alle vier gingen hinunter. Die Einbrecher waren noch dabei zu stehlen, als sie ins Lager kamen. Ohne zu überlegen, schrie van Daan: „Polizei!" Schnelle Schritte nach draußen, die Einbrecher waren geflohen. Die Polizei sollte das Loch nicht sehen. Deshalb setzten sie das Brett wieder an die Stelle, aber von draußen trat jemand gegen das Brett. So landete es wieder auf dem Boden. Die Herren konnten nicht glauben, dass man so frech sein kann. Van Daan und Peter waren wahnsinnig wütend auf die Einbrecher. Van Daan schlug kräftig auf den Boden, und alles war wieder still. Das Brett kam wieder vor das Loch. Dann gab es wieder eine Störung. Ein Ehepaar suchte von draußen mit dem Licht einer sehr hellen Taschenlampe** das Lager ab. „O je", sagte einer der Herren ganz leise, und nun änderten sich die Rollen. Unsere Herren waren plötzlich keine Polizisten, sondern Einbrecher. Alle vier rannten nach oben, Peter öffnete die Türen und Fenster von Küche und Privatbüro, warf das Telefon auf den Boden, und schließlich landeten sie alle im Versteck. (Ende des ersten Teils.)
Wahrscheinlich hatte das Ehepaar mit der Taschenlampe die Polizei gerufen. Es war Sonntagabend, der Abend des ersten Ostertages. Am zweiten Feiertag kam niemand ins Büro, wir mussten bis Dienstagmorgen ganz still sein. Stell dir vor, zwei Nächte und ein Tag mit dieser Angst! Wir dachten gar nichts, wir saßen nur im dunklen Zimmer, weil Frau van Daan aus Angst die Lampe ganz ausgemacht hatte. Wir sprachen ganz leise, und wenn jemand irgendetwas hörte, hieß es: „Pst! Pst!"
Es wurde halb elf, elf Uhr, nichts zu hören. Mal kam Vater, mal kam Herr van Daan zu uns. Dann, um Viertel nach elf, war unten

---

* **das Brett:** langes, flaches Stück Holz
** **die Taschenlampe:** kleine Lampe mit Batterie

ein Geräusch. Bei uns konnte man das Atmen der ganzen Familie hören, aber wir bewegten uns nicht. Schritte im Haus, im Privatbüro, in der Küche, dann … auf unserer Treppe. Man konnte uns jetzt auch nicht mehr atmen hören, acht Herzen klopften laut. Schritte auf unserer Treppe, dann Gerüttel* am Drehschrank. Diesen Moment kann man nicht beschreiben.
„Jetzt sind wir verloren", sagte ich und sah schon vor meinen Augen, wie die Gestapo uns alle noch in dieser Nacht mitnehmen würde. Wieder Gerüttel am Drehschank – zweimal. Dann fiel etwas herunter, die Schritte entfernten sich. Für den Moment waren wir gerettet. Wir zitterten** alle, ich hörte, wie die Zähne aufeinander schlugen, aber niemand sagte ein Wort. So saßen wir bis halb zwölf. Im Haus war nichts zu hören, aber auf der Treppe direkt vor dem Schrank brannte Licht. War es deshalb, weil unser Schrank so geheimnisvoll war? Hatte die Polizei vielleicht das Licht vergessen? Kam noch jemand, um es auszumachen? Wir konnten wieder sprechen, im Haus war niemand mehr. Vielleicht war noch jemand vor der Tür, der aufpassen sollte.
Drei Dinge taten wir nun: Wir sprachen darüber, was passiert war, zitterten vor Angst und gingen zum Klo. Aber nach oben konnten wir nicht, so mussten wir Peters Papierkorb aus Metall nehmen.
(…)
Danach stank es, alle sprachen sehr leise, und wir waren müde, es war zwölf Uhr.
„Legt euch doch auf den Boden und schlaft!"
Margot und ich bekamen jede ein Kissen und eine Decke. Margot lag in der Nähe vom Schrank, ich zwischen den Tischbeinen. (…) Leises Reden, Angst und es stank – dauernd musste wieder jemand aufs Klo! Da kann man doch nicht schlafen! Um halb drei wurde ich jedoch zu müde und bis halb vier hörte ich nichts. Ich wurde wach, als Frau van Daan ihren Kopf auf meine Füße legte.
„Geben Sie mir bitte etwas zum Anziehen!" bat ich. Ich bekam auch was, aber frag nicht, was! Eine Hose aus Wolle über meinen Schlaf-

* **das Gerüttel:** Geräusch, wenn man etwas Schweres kräftig schüttelt
** **zittern:** wenn der Körper kleine unkontrollierte Bewegungen macht, z.B. aus Angst

anzug, den roten Pullover und den schwarzen Rock, weiße Socken und darüber Strümpfe, die kaputt waren.
Frau van Daan setzte sich dann wieder auf den Stuhl, Herr van Daan legte sich auf meine Füße. Ich fing an nachzudenken. Ich zitterte immer noch so, dass van Daan nicht schlafen konnte. Ich dachte darüber nach, was passiert, wenn die Polizei zurückkommt. Dann müssen wir sagen, dass wir uns versteckt haben. Entweder sind die Polizisten gute Niederländer, dann ist alles in Ordnung, oder es sind Nazis, dann muss man sie bestechen*.
„Tu doch das Radio weg!" sagte Frau van Daan.
„Ja, in den Herd", antwortete Herr van Daan. „Wenn sie uns finden, dürfen sie auch das Radio finden."
„Dann finden sie auch Annes Tagebuch", sagte Vater jetzt.
„Verbrennt es doch!" schlug die ängstlichste Person von uns vor.
Das und der Moment, als wir das Gerüttel an der Schranktür hörten, waren die Momente, wo ich die größte Angst hatte. Mein Tagebuch nicht! Mein Tagebuch nur zusammen mit mir! Aber Vater antwortete zum Glück nicht. Es hat überhaupt keinen Zweck, die Gespräche zu wiederholen, an die ich mich erinnere. Alle haben so viel geredet. Frau van Daan hatte große Angst. Ich versuchte, sie mit Worten zu beruhigen. Wir sprachen über Flucht, Verhöre** bei der Gestapo, über Telefonieren und über Mut.
„Nun müssen wir uns eben wie Soldaten verhalten, Frau van Daan. Wenn wir sterben, na gut, dann eben für Königin und unser Land, für Freiheit, Wahrheit und Recht, genau was sie im Radio immer wieder sagen. Das Schlimme ist nur, dass wir die anderen dann mit ins Unglück ziehen."
Herr van Daan wechselte nach einer Stunde wieder den Platz mit seiner Frau. Vater kam zu mir. Die Herren rauchten die ganze Zeit. Vier Uhr, fünf Uhr, halb sechs. Nun setzte ich mich zu Peter. Wir saßen so dicht zusammen, dass wir das Zittern im Körper des anderen fühlten. Wir saßen da, sprachen ab und zu ein Wort und konzentrierten uns darauf, ob wir etwas hören. Im Zimmer ließen

* **bestechen:** Geld oder Geschenke geben, um einen Vorteil zu haben
** **das Verhör:** die Polizei stellt einer verdächtigen Person Fragen

sie am Fenster wieder Licht rein und schrieben alles auf, was sie Kleiman am Telefon sagen wollten.
Um sieben Uhr wollten sie ihn nämlich anrufen, damit jemand kam. Das Risiko, dass vor der Tür oder im Lager jemand war, der das Telefonieren hörte, war groß. Aber noch größer war die Gefahr, dass die Polizei wieder zurückkam.
(...)
Wir riefen Kleiman an und sagten ihm alles, was wir aufgeschrieben hatten. Jan, der Mann von Miep, sollte den Schlüssel holen und zum Büro gehen. Danach saßen wir wieder am Tisch und warteten auf Jan oder die Polizei.
Peter war eingeschlafen, Herr van Daan und ich lagen auf dem Boden, als wir unten laute Schritte hörten. Leise stand ich auf. „Das ist Jan!"
„Nein, nein, das ist die Polizei!", sagten alle anderen. Jemand klopfte. Frau van Daan wurde es zu viel. Ganz blass hing sie in ihrem Stuhl. Wenn es noch länger gedauert hätte, wäre sie bestimmt vom Stuhl gefallen.
Als Jan und Miep hereinkamen, war unser Zimmer herrlich anzusehen. Alleine der Tisch hätte sich schon gut für ein Foto geeignet. Da lag zum Beispiel: eine Zeitschrift aufgeschlagen, die Seite mit Tänzerinnen voll mit Marmelade und einem Medikament. Zwei Marmeladengläser, ein halbes und ein viertel Brötchen, Spiegel, Kamm, Streichhölzer, Zigaretten, Aschenbecher*, Bücher, eine Unterhose, eine Taschenlampe, Toilettenpapier, ...
Natürlich begrüßten wir Jan und Miep mit Freudenschreien und Tränen. Jan reparierte das Loch mit Holz und ging schon bald mit Miep wieder weg, um der Polizei den Einbruch zu melden. Miep hatte unter der Lagertür einen Zettel vom Nachtwächter** gefunden. Er hatte das Loch entdeckt und die Polizei informiert. Zu ihm wollte Jan auch gehen.
Eine halbe Stunde hatten wir also. Und noch nie habe ich gesehen, wie sich innerhalb von einer halben Stunde so viel verändert hat.

---

* **der Aschenbecher:** dort hinein gibt man die Reste von Zigaretten
** **der Nachtwächter:** jemand, der nachts herumgeht und aufpasst, dass alles in Ordnung ist

Margot und ich machten die Betten, gingen zur Toilette, putzten die Zähne, wuschen die Hände und machten die Haare. Danach räumte ich das Zimmer noch ein bisschen auf und ging wieder nach oben. Es lag schon nichts mehr auf dem Tisch. Wir holten Wasser, machten Kaffee und Tee, kochten Milch und stellten alles auf den Tisch für die Kaffeestunde. Vater und Peter kümmerten sich um den Klo-Papierkorb.
Um elf Uhr saßen wir mit Jan, der zurückgekommen war, am Tisch, und es war schon wieder ganz gemütlich. Jan erzählte:
Beim Nachtwächter erzählte seine Frau (er selbst schlief noch), dass er das Loch bei uns entdeckt hatte und mit einem Polizisten, den er geholt hatte, durch das Gebäude gelaufen war. Auf der Polizei hatten sie noch nichts von dem Einbruch gewusst. Sie wollen am Dienstag kommen und mal nachschauen.
Auf dem Rückweg ging Jan zufällig bei dem Mann vorbei, der uns immer die Kartoffeln liefert, und erzählte ihm von dem Einbruch. „Das weiß ich“, sagte er ganz ruhig. „Ich kam gestern Abend mit meiner Frau an dem Gebäude vorbei und sah ein Loch in der Tür. Meine Frau wollte schon weitergehen, aber ich schaute mit der Taschenlampe nach. Da sind die Diebe bestimmt weggelaufen. Ich habe die Polizei nicht angerufen, ich wollte das bei ihnen nicht. Ich weiß zwar nichts, aber ich vermute viel.“ Jan bedankte sich und ging. Bestimmt vermutet der Mann, dass wir hier sind, denn er bringt die Kartoffeln immer in der Mittagspause, zwischen halb eins und halb zwei. Ein prima Mann!
Nachdem Jan weggegangen war und wir abgewaschen hatten, war es ein Uhr. Alle acht gingen wir schlafen. Um Viertel vor drei wurde ich wach und sah, dass Dussel schon aufgestanden war. Ganz zufällig begegnete ich Peter im Badezimmer. Wir verabredeten uns für unten. Ich machte mich fertig und ging hinunter.
Dann gingen wir hinauf unters Dach. Das Wetter war toll, und schon bald hörten wir dann die Sirenen. Wir blieben, wo wir waren. Peter legte seinen Arm um meine Schulter, ich legte meinen Arm um seine Schulter. Und so blieben wir und warteten ruhig, bis Margot uns um vier Uhr zum Kaffee holte.

Wir aßen Brot, tranken Limonade und machten schon wieder Witze, auch sonst lief alles normal. Abends dankte ich Peter, weil er der Mutigste von uns allen war.
Keiner von uns war je in solch einer Gefahr wie in dieser Nacht. Gott hat uns geholfen. Stell dir vor, die Polizei an unserem Versteckschrank, das Licht davor an, und niemand hat uns bemerkt! Wenn die Bomben fallen, ist jeder für sich selbst verantwortlich. Aber in dieser Situation gab es auch die Angst um unsere unschuldigen und guten Helfer.
„Wir sind gerettet, rette uns auch in Zukunft!“ Das ist das Einzige, was wir sagen können.
Durch diese Geschichte hat sich viel verändert. Dussel sitzt seitdem abends im Badezimmer. Peter geht um halb neun und um halb zehn durch das Haus, um alles zu kontrollieren. Sein Fenster darf nachts nicht mehr offen bleiben, weil ein Arbeiter der Nachbarfirma es gesehen hat. Nach halb zehn abends dürfen wir auf dem Klo nicht mehr mit Wasser spülen. Heute Abend kommt ein Schreiner und macht aus unseren weißen Frankfurter Betten eine Barrikade*. Im Hinterhaus gibt es jetzt dauernd Diskussionen. Kugler macht uns Vorwürfe; er sagt, dass wir unvorsichtig sind. Auch Jan sagte, wir dürften nie nach unten. Man muss jetzt herausfinden, ob der Nachtwächter zuverlässig ist, ob seine Hunde bellen, wenn sie jemanden hinter der Tür hören, wie es mit der Barrikade klappt, und all solche Sachen.
Man hat uns stark daran erinnert, dass wir gefangene Juden sind – gefangen an einem Ort, ohne Rechte, aber mit Tausenden von Pflichten. Wir Juden dürfen nicht unseren Gefühlen folgen, wir müssen mutig und stark sein; wir müssen alles auf uns nehmen, was Mühe macht und dürfen uns nicht beschweren; wir müssen tun, was uns möglich ist, und Gott vertrauen. Einmal wird dieser schreckliche Krieg doch vorbeigehen, einmal werden wir doch wieder Menschen und nicht nur Juden sein!

* **die Barrikade:** Mauer, die aus Gegenständen gebaut wird

Wer hat uns diese Aufgabe gegeben? Wer hat uns Juden zu einer Ausnahme unter allen Völkern gemacht? Wer hat uns bis jetzt so leiden lassen? Es ist Gott, der uns so gemacht hat, aber es wird auch Gott sein, der uns Kraft gibt. Wenn wir all dieses Leid mit uns geschehen lassen müssen und noch immer Juden übrig bleiben, werden sie einmal von Verdammten* zu denen werden, die die Menschen bewundern. Wer weiß, vielleicht wird es noch unser Glaube sein, der die Welt und damit alle Völker das Gute lehrt. Und dafür, dafür allein müssen wir auch leiden. Wir können niemals nur Niederländer oder nur Engländer oder was auch immer sein, wir müssen daneben immer Juden bleiben. Aber wir wollen es auch bleiben.
Seid mutig! Es muss uns immer klar sein, was unsere Aufgabe ist, und wir dürfen uns nicht beschweren. Es wird eine Möglichkeit geben, aus dieser schwierigen Lage herauszukommen. Gott hat unser Volk nie verlassen. Durch alle Jahrhunderte hindurch sind Juden am Leben geblieben, durch alle Jahrhunderte hindurch mussten Juden leiden. Aber durch alle Jahrhunderte hindurch sind sie auch stark geworden. Die Schwachen fallen, aber die Starken bleiben übrig und werden nicht aufhören zu existieren!
In dieser Nacht dachte ich eigentlich, dass ich sterben müsste. Ich wartete auf die Polizei, ich war bereit, bereit wie ein Soldat im Kampf. Ich wollte gern dieses Opfer für mein Land bringen. Aber nun bin ich gerettet, und deshalb ist es mein erster Wunsch für nach dem Krieg, dass ich Niederländerin werde. Ich liebe die Niederländer, ich liebe unser Land, ich liebe die Sprache und will hier arbeiten. Und wenn ich an die Königin selbst schreiben muss, ich werde nicht aufgeben, bevor mein Ziel erreicht ist.
Ich werde immer unabhängiger von meinen Eltern. So jung ich bin, habe ich mehr Mut zum Leben, ein besseres Gefühl für Recht als Mutter. Ich weiß, was ich will. Ich habe ein Ziel, habe eine eigene Meinung, einen Glauben und eine Liebe. Lasst mich ich selbst sein,

* **die Verdammten:** Menschen, von denen andere eine schlechte Meinung haben

dann bin ich zufrieden! Ich weiß, dass ich eine Frau bin – eine Frau, die weiß, was sie will und die viel Mut hat!
Wenn Gott mich am Leben lässt, werde ich mehr erreichen, als Mutter je erreicht hat. Ich werde nicht unwichtig bleiben, ich werde in der Welt und für die Menschen arbeiten.
Und nun weiß ich, dass Mut und Fröhlichkeit das Wichtigste sind!

Deine Anne M. Frank

Übungen

Text 29

Sonntag, 16. April 1944

Liebste Kitty!

Behalte den Tag gestern, er ist sehr wichtig für mein ganzes Leben. Ist es nicht für jedes Mädchen wichtig, wenn sie den ersten Kuss bekommt? Nun, bei mir ist es auch so. Die Küsse auf die rechte Wange* und auf die Hand, die ich schon bekommen habe, zählen nicht. Wie ich so plötzlich zu diesem Kuss gekommen bin? Nun, das werde ich dir erzählen.

Gestern Abend um acht saß ich mit Peter auf seiner Couch. Schon bald legte er einen Arm um mich. (Weil Samstag war, hatte er keinen Arbeitsanzug an.) „Setzen wir uns ein bisschen mehr auf die Seite“, sagte ich, „damit ich mit dem Kopf nicht an das Schränkchen stoße.“

Er setzte sich fast an die Ecke. Ich legte meinen Arm unter seinem Arm auf seinen Rücken, und er lag beinahe mit seinem ganzen Gewicht auf mir, weil sein Arm über meiner Schulter hing. Wir hatten schon öfter so gesessen, aber nie so nah nebeneinander wie gestern Abend. Er drückte mich fest an sich, meine Brust lag an seiner, mein Herz klopfte. Aber das war noch nicht alles. Er war erst zufrieden, als ich meinen Kopf auf seine Schulter legte und er seinen Kopf darauf. Als ich mich nach ungefähr fünf Minuten gerade hinsetzte, nahm er meinen Kopf in die Hände und zog ihn zu sich hin. Oh, es war so wunderbar! Ich konnte nicht sprechen. Ich habe es einfach zu sehr genossen. Er streichelte** meine Wange und meinen Arm und spielte mit meinen Locken. Das machte er allerdings nicht so perfekt. Unsere Köpfe lagen fast die ganze Zeit aneinander.

Das Gefühl, das ich dabei hatte, kann ich dir nicht beschreiben, Kitty. Ich war überglücklich, und ich glaube, er auch.

Um halb neun standen wir auf. Peter zog seine Sportschuhe an, um auch beim zweiten Mal leise durch das Haus zu gehen, und ich

---

* **die Wange:** Teil des Gesichts rechts und links von Nase und Mund

** **streicheln:** liebevoll die Hand auf einem Körperteil hin und her bewegen

stand dabei. Wie ich plötzlich die richtige Bewegung fand, weiß ich nicht, aber bevor wir nach unten gingen, gab er mir einen Kuss auf die Haare, halb auf meine linke Wange und halb auf mein Ohr. Ohne mich umzudrehen rannte ich hinunter und wartete mit großer Sehnsucht auf heute.
Sonntagmorgen, kurz vor 11 Uhr.

Deine Anne M. Frank

Text 30

Freitag, 19. Mai 1944

Liebe Kitty!
Gestern ging es mir ganz schlecht, übergeben* (und das bei Anne!), Kopfschmerzen, Bauchschmerzen, alles, was du dir nur vorstellen kannst. Heute geht es wieder besser. Ich habe großen Hunger, aber von den braunen Bohnen, die wir heute essen, werde ich nicht nehmen.
Mit Peter und mir geht es prima. Der arme Junge braucht Zärtlichkeit** noch mehr als ich. Er wird noch immer jeden Abend rot beim Gutenachtkuss und bittet sehr um noch einen. Ob ihm vielleicht nur die Katze fehlt? Ich finde es nicht schlimm. Er ist so glücklich, seit er weiß, dass jemand ihn gern hat.
Ich habe mich sehr angestrengt, Peter für mich zu gewinnen. Darum ist es für mich schon normal. Aber glaube ja nicht, dass meine Liebe schwächer geworden ist. Er ist ein Schatz, aber mein Inneres habe ich schnell wieder zugeschlossen. Wenn er jetzt noch mal das Schloss öffnen will, braucht er ein starkes Werkzeug.

Deine Anne M. Frank

---

* **sich übergeben:** das, was man bereits gegessen hat, wieder von sich geben
** **die Zärtlichkeit:** Liebe fühlen und zeigen

Text 31

Donnerstag, 25. Mai 1944

Liebe Kitty!

Jeden Tag was anderes! Heute Morgen hat man unseren Gemüsehändler verhaftet. Er hatte zwei Juden im Haus. Das ist ein schwerer Schlag für uns. Nicht nur, dass die armen Juden jetzt in großer Gefahr sind, auch für ihn ist es schrecklich. Die Welt steht hier auf dem Kopf. Menschen mit einem guten Charakter kommen in Konzentrationslager und Gefängnisse und dumme und schlechte Menschen regieren über Jung und Alt, Arm und Reich. Der Eine wird entdeckt, weil er auf dem Schwarzmarkt gehandelt hat, der Zweite, weil er Juden versteckt hat. Niemand, der nicht bei der NSB ist, weiß, was morgen passiert.

Auch für uns ist es ein schwerer Verlust, dass man den Mann verhaftet hat. Bep kann und darf nicht große Mengen Kartoffeln herbringen. Das einzige, was wir tun können, ist, weniger zu essen. Wie das gehen wird, schreibe ich dir noch, aber angenehm wird es sicher nicht sein. Mutter sagt, dass wir morgens kein Frühstück bekommen, mittags Brei* und Brot, abends Bratkartoffeln und eventuell ein- oder zweimal die Woche Gemüse oder Salat, mehr nicht. Das heißt, wir werden nicht genug zu essen haben. Aber alles ist nicht so schlimm, wie wenn uns jemand entdeckt.

Deine Anne M. Frank

Übungen (Text 29 – 31)

* **der Brei:** dickflüssige, gekochte Speise, z.B. für Babys

Text 32

Donnerstag, 6. Juli 1944

Liebe Kitty!

Ich mache mir solche Sorgen, wenn Peter davon spricht, dass er später vielleicht Verbrecher wird oder anfängt zu spekulieren*. Obwohl es natürlich ein Witz sein soll, habe ich doch das Gefühl, dass er selbst Angst davor hat, dass er einen schwachen Charakter hat. Immer wieder höre ich von Margot und auch von Peter: „Ja, wenn ich so stark und mutig wäre wie du, wenn ich so dafür kämpfen könnte, das zu machen, was ich will, wenn ich so viel Energie hätte, ja, dann …!"

Ist es wirkliche eine gute Eigenschaft**, dass mich niemand beeinflussen kann? Ist es gut, dass ich fast nur meinem eigenen Gewissen folge?

Ehrlich gesagt, ich kann mir nicht richtig vorstellen, wie jemand sagen kann „Ich bin schwach" und dann auch schwach bleibt. Wenn man so etwas doch schon weiß, warum dann nichts dagegen machen? Warum den Charakter nicht trainieren? Die Antwort war: „Weil es so viel bequemer ist." Diese Antwort hat mir ein bisschen schlechte Laune gemacht. Bequem? Bedeutet ein faules und betrügerisches Leben auch, dass es ein bequemes Leben ist? Oh nein, das kann nicht wahr sein! Es darf nicht sein, dass Bequemlichkeit und Geld einen Menschen so schnell dazu bringen können, etwas zu tun, was nicht richtig ist. Ich habe lange darüber nachgedacht, was ich dann wohl für eine Antwort geben muss. Wie kann ich Peter dazu bringen, an sich selbst zu glauben und, vor allem, sich selbst zu bessern? Ob das, was ich denke, richtig ist, weiß ich nicht.

Ich habe mir oft vorgestellt, wie toll es wäre, wenn jemand wirklich Vertrauen zu mir hat, aber nun, da es soweit ist, sehe ich erst, wie schwierig es ist, mit den Gedanken des anderen zu denken und dann die richtige Antwort zu finden. Vor allem, weil die Wörter

---

* **spekulieren:** mit Geld handeln und versuchen, viel Gewinn zu machen
** **die Eigenschaft:** das, was für eine Person typisch ist

„bequem“ und „Geld“ für mich etwas völlig Fremdes und Neues sind.
Peter fängt an, ein bisschen Halt bei mir zu suchen, und das darf auf gar keinen Fall sein. Auf eigenen Beinen im Leben stehen ist schwierig, aber noch schwieriger ist es, charakterlich und seelisch* allein zu stehen und trotzdem stark zu bleiben. Ich bin ein bisschen durcheinander. Ich suche schon seit Tagen, suche nach einem Mittel gegen das schreckliche Wort „bequem“. Wie kann ich Peter erklären, dass das, was bequem ist und schön scheint, ihn in die Tiefe ziehen wird – die Tiefe, wo es keine Freunde, keine Hilfe, nichts Schönes mehr gibt, eine Tiefe, aus der es fast unmöglich ist, herauszukommen.
Wir leben alle, wissen aber nicht, warum und wofür. Wir leben alle mit dem Ziel, glücklich zu werden, wir leben alle verschieden und doch gleich. Man hat uns drei gut erzogen, wir können lernen, wir haben die Möglichkeit, etwas zu erreichen. Wir haben Grund, auf Glück zu hoffen, aber – wir müssen uns das selbst verdienen. Und das ist etwas, was man nie erreichen kann, wenn man bequem ist. Wenn man Glück verdienen will, muss man dafür arbeiten und Gutes tun und nicht spekulieren und faul sein. Es kann ja sein, dass es anziehend** scheint, faul zu sein. Aber Arbeit gibt wirklich ein befriedigendes Gefühl.
Menschen, die nichts von Arbeit halten, kann ich nicht verstehen. Aber das ist bei Peter auch nicht so. Er hat kein festes Ziel, findet sich selbst zu dumm und nicht wichtig genug, um etwas zu leisten. Armer Junge, er hat noch nie das Gefühl gekannt, andere glücklich zu machen, und ich kann ihn das auch nicht lehren. Er hat keine Religion, spricht verletzend über Jesus Christus, flucht*** mit dem Namen Gottes. Obwohl ich auch nicht orthodox**** bin, tut es mir doch jedes Mal weh, wenn ich merke, wie wenig Respekt er hat, wie verlassen und wie arm er ist.

---

* **seelisch:** mit allen Gefühlen und Gedanken
** **anziehend:** sympathisch
*** **fluchen:** wütend schimpfen und dabei schlimme, verletzende Wörter benutzen
**** **orthodox:** sich streng an die Regeln der Religion halten

Menschen, die eine Religion haben, dürfen froh sein, denn es kann leider nicht jeder an überirdische* Dinge glauben. Es ist nicht mal nötig, Angst zu haben vor Strafen nach dem Tod. Trotzdem hält Religion, egal welche, die Menschen auf dem richtigen Weg. Es ist keine Angst vor Gott, sondern der Respekt vor sich selbst und das Gewissen.
Wie schön und gut wären alle Menschen, wenn sie sich jeden Abend prüfen würden, ob sie sich gut oder schlecht verhalten haben. Dann versucht man nämlich auch, sich zu bessern und selbstverständlich erreicht man dann nach einiger Zeit auch einiges. Dieses Mittel kann jeder anwenden; es kostet nichts und ist sehr nützlich. Denn wer es nicht weiß, muss es lernen und erfahren: „Ein ruhiges Gewissen macht stark!"

Deine Anne M. Frank

Übungen

* **überirdisch:** wie aus einer anderen Welt

Text 33

Dienstag, 1. August 1944

Liebe Kitty!

„Man sagt, ich bin ein Päckchen Widerspruch*!" So endete mein letzter Brief. „Ein Päckchen Widerspruch", kannst du mir genau erklären, was das ist? Was bedeutet Widerspruch? Wie so viele

* **der Widerspruch:** zwei Meinungen, die in starkem Gegensatz zueinander stehen

Worte hat es zwei Bedeutungen: Widerspruch von außen und Widerspruch von innen. Das Erste ist das normale „nicht zufrieden sein mit der Meinung von anderen Leuten, alles selbst besser wissen und das letzte Wort haben wollen." Also, das sind unangenehme Eigenschaften, für die ich bekannt bin. Das Zweite, und dafür bin ich nicht bekannt, ist mein Geheimnis.
Ich habe dir schon öfter erzählt, dass meine Seele* eigentlich aus zwei Teilen besteht. Die eine Seite in mir ist die, die fröhlich ist, manchmal spitze, verletzende Worte sagt, lustig ist und alles von der leichten Seite nimmt. Darunter verstehe ich, an einem Flirt nichts Schlimmes zu finden, auch nicht an einem Kuss, einer Umarmung, einem Witz, den man besser nicht erzählen sollte. Diese Seite zeigt sich gern und schiebt die andere, die viel schöner, reiner und tiefer ist, weg. Nicht wahr, die schöne Seite von Anne, die kennt niemand, und darum mögen mich auch so wenige Menschen. Sicher, ich bin ein lustiger Spaßmacher für einen Nachmittag, dann hat jeder wieder für einen Monat genug von mir. Eigentlich genau dasselbe, was ein Liebesfilm für ernsthafte Menschen ist: einfach Unterhaltung, etwas, das man schnell vergisst, was nicht schlecht, aber doch nicht gut ist. Es ist mir unangenehm, das zu erzählen, aber warum sollte ich es nicht tun, wenn ich doch weiß, dass es die Wahrheit ist? Meine leichtere Seite wird immer schneller reagieren als die tiefere und darum immer gewinnen. Du kannst dir nicht vorstellen, wie oft ich versucht habe, diese Anne, die nur die Hälfte der ganzen Anne ist, wegzuschieben, zu verändern und zu verstecken. Es geht nicht, und ich weiß auch, warum es nicht geht. Ich habe große Angst, dass alle, die mich kennen, wie ich immer bin, entdecken würden, dass ich eine andere Seite habe, eine schönere und bessere. Ich habe Angst, dass sie sich über mich lustig machen, mich blöd und sentimental** finden, mich nicht ernst nehmen. Ich bin daran gewöhnt, dass man mich nicht ernst nimmt, aber nur die „leichte" Anne ist daran gewöhnt und kann damit umgehen. Die „schwerere" Anne ist dafür zu schwach. Wenn ich wirklich einmal mit Gewalt

* **die Seele:** das gesamte Fühlen und Denken eines Menschen
** **sentimental:** mit zu starken, übertriebenen Gefühlen

für eine Viertelstunde die gute Anne offen gezeigt habe, zieht sie sich gleich wieder erschrocken zurück; wenn sie sprechen soll, lässt sie Anne Nr. 1 ans Wort und ist, bevor ich es weiß, verschwunden. In Gesellschaft ist die liebe Anne also noch nie, noch kein einziges Mal sichtbar geworden, aber wenn ich alleine bin, ist sie an erster Stelle. Ich weiß genau, wie ich gern sein würde, wie ich auch bin … von innen, aber leider bin ich das nur für mich selbst. Und das ist vielleicht, nein, ganz sicher, der Grund, warum ich mich selbst eine glückliche Innennatur nenne und andere Menschen denken, dass ich eine glückliche Außennatur bin. Innerlich zeigt die reine Anne mir den Weg, äußerlich bin ich nichts als ein lustiges, festgebundenes Geißlein*, das weg will.
Wie schon gesagt, ich fühle alles anders, als ich es ausspreche. Dadurch haben alle die Meinung, dass ich ein Mädchen bin, das Jungen hinterherläuft, flirtet, alles besser weiß und Unterhaltungsromane liest. Die fröhliche Anne lacht darüber, gibt freche Antworten, zieht die Schultern hoch, als ob ihr alles egal wäre. Aber genau umgekehrt reagiert die stille Anne. Wenn ich ganz ehrlich bin, muss ich sagen, dass es mich verletzt, dass ich mir unglaublich viel Mühe gebe, anders zu werden, aber dass ich immer wieder gegen stärkere Kräfte kämpfe.
Innerlich muss ich laut weinen: Siehst du, das ist aus dir geworden: schlechte Meinungen, Gesichter, die zeigen, dass sie dich nicht verstehen oder sich über dich amüsieren, Menschen, die dich unsympathisch finden; und das alles, weil du nicht auf den Rat deiner guten Hälfte hörst. Ach, ich würde gern darauf hören, aber es geht nicht. Wenn ich still oder ernst bin, denken alle, dass das ein neues lustiges Theaterstück ist, und dann muss ich mich mit einem Witz retten. Und meine eigene Familie glaubt dann, dass ich krank bin, gibt mir Kopfweh- und Beruhigungstabletten, fühlt, ob ich Fieber habe, fragt mich, ob ich auf dem Klo war und kritisiert meine schlechte Laune. Das halte ich nicht aus. Wenn sie so auf mich aufpassen, dann werde ich erst frech, dann traurig und

* **das Geißlein:** kleine Ziege; Tier auf dem Bauernhof, das gut klettern kann und Milch gibt

schließlich drehe ich mein Herz wieder um, drehe das Schlechte nach außen, das Gute nach innen und suche dauernd nach einem Mittel, um so zu werden, wie ich gern sein würde und wie ich sein könnte, wenn … wenn keine anderen Menschen auf der Welt leben würden. 5

Deine Anne M. Frank

Hier endet Annes Tagebuch

Übungen

Begriffe zur Zeitgeschichte

Hintergrund: Warum Juden Deutschland verließen

Von 1933 bis 1945 war die nationalsozialistische Partei (NSDAP = „die Nazis") im damaligen Deutschen Reich an der Regierung. Der Reichskanzler war Adolf Hitler. Er und seine Partei zerstörten die Demokratie – Deutschland wurde eine Diktatur. Die Nazis wollten, dass Juden, Roma, Sinti, Homosexuelle, Menschen mit Behinderung, politische Gegner u.a. keine Rechte mehr haben. 1935 verboten die Nazis per Gesetz (das sogenannte Rassengesetz) die Ehe von Christen mit Juden. Es folgten viele Verbote, die Juden in Deutschland und Österreich das Leben schwer machten. Viele Menschen wurden verhaftet.

In der Nacht vom 9. auf den 10. November 1938, in der Reichspogromnacht, starben in Deutschland und Österreich viele Juden. Die Nazis zerstörten jüdische Geschäfte und Friedhöfe; Synagogen (jüdische Gotteshäuser) brannten.

In Deutschland gab es ca. eine halbe Million Juden. Die Hälfte verließ Deutschland, weil es für sie lebensgefährlich wurde. Viele flohen in europäische Nachbarländer, die die Deutschen dann besetzten, so dass sie wieder in Gefahr waren. So wie Familie Frank.

Mit dem Überfall auf Polen am 1. September 1939 begann der Zweite Weltkrieg. Die Niederlande, Belgien und Luxemburg wollten neutral bleiben. Aber am 10. Mai 1940 kämpfte das deutsche Militär gegen alle drei Länder und nach ein paar Tagen mussten die Niederlande aufgeben. Die Deutschen besetzten die Niederlande. Man schätzt, dass sich 28.000 Juden während des Krieges in den Niederlanden versteckten. Juden mussten sich ab Januar 1941 melden, ab Mai 1941 einen Judenstern tragen und hatten, wie schon in Deutschland, keine Freiheiten und Rechte mehr.

Text 1:

das Jüdische Lyzeum: Nach den Sommerferien 1941 mussten jüdische Kinder auf jüdische Schulen gehen.

Text 2:

Hitlers Judengesetze: Nach der Besetzung der Niederlande am 14. Mai 1940 gab es auch in den Niederlanden antijüdische Gesetze und Verbote; z. B. durften Juden keine eigene Firma mehr besitzen.

der oder das Pogrom: Gewalt gegen eine Gruppe von Menschen, oft weil sie eine andere Religion haben; antijüdische Pogrome gab es seit Jahrhunderten überall in Europa, z.B. im Mittelalter bei den Kreuzzügen oder im Russland der Zaren zwischen 1721 und 1918. Im Tagebuch-Text meint Anne Frank die Gewalt gegen Juden in der Reichspogromnacht am 9. November 1938.

die Niederländer kapitulierten: Am 10. Mai 1940 kämpften die Nazis gegen die Niederlande. Fünf Tage später gaben die Niederlande auf – sie kapitulierten. Deutsche Soldaten kamen ins Land.

der Judenstern: Juden mussten ab Mai 1942 auch in den besetzten Niederlanden einen großen gelben Stern auf die linke Brust der Kleidung nähen, damit alle sofort sehen konnten, dass sie Juden sind.

Text 4:

der Aufruf: Margot soll sich melden, um in Deutschland in ein Arbeitslager zu gehen. Am 5. Juli erhielten 1000 Amsterdamer Juden (meistens Jugendliche) solch einen Aufruf.

die SS: Die Schutzstaffel (= SS) war eine nationalsozialistische Organisation, die Hitler schon 1923 gründete. Die SS gab der Polizei Befehle und hatte die Kontrolle über die Konzentrationslager.

das Konzentrationslager: Es gab ab 1933 Konzentrationslager auf dem Gebiet, wo die Nazis waren; insgesamt ca. 1000 Konzentrationslager. Juden, politische Gegner, Homosexuelle, Sinti u.a. wurden verhaftet und kamen in Arbeitslager (z.B. Bergen Belsen) oder Vernichtungslager (z.B. Ausschwitz-Birkenau). Nach der Konferenz am Wannsee am 20. Januar 1942 beschloss die nationalsozialistische Regierung, dass sie die Menschen in den Konzentrationslagern systematisch töten werden. Die Menschen starben in großer Zahl durch Gas und unmenschliche Arbeit. Ab Juni 1942 informierte die britische BBC über die Vergasungen. Die Nazis ermordeten 6 Millionen Juden aus ganz Europa.

Text 6:

Englische Radiosender: Die Nazis verboten, nicht-deutsche Sender zu hören. Sender Oranje war der Sender der niederländischen Exilregierung in London und sendete über den britischen Sender BBC. Diesen Sender hörten auch die Bewohner des Hinterhauses. Man kam ins Gefängnis für das Hören von ausländischen Radiosendern.

Text 7:

die Hausdurchsuchung: In einer Demokratie gibt es Hausdurchsuchungen nur, wenn es einen Verdacht für eine Straftat gibt. In der Nazizeit durfte die Polizei jederzeit Häuser durchsuchen, um z.B. Juden oder Menschen, die anders dachten als die Nazis, festzunehmen, oder um Dinge mitzunehmen wie z. B. Fahrräder.

die Schweiz: Die Schweiz war ein Ziel für Juden, die vor den Nazis flüchten mussten, denn sie war politisch neutral während des Krieges. Fast 300.000 Menschen durften in der Zeit des Nationalsozialismus in der Schweiz bleiben, teilweise nur für eine begrenzte Zeit. Aber es war nicht leicht, in die Schweiz einzureisen. An der Grenze wurden auch 20.000 – 25.000 Menschen zurückgeschickt.

Text 11:

Lebensmittelkarten: Kartoffeln, Fleisch und Gemüse waren zu Beginn des Krieges noch über Lebensmittelmarken zu bekommen;

die Situation wurde jedoch immer schwieriger, die Lebensmittel immer knapper. Der niederländische Widerstand half, Untergetauchte mit Lebensmittelmarken zu versorgen.

Text 14:

Zug zum Tod: Juden wurden ab 1941 mit Zügen auf die lange Reise zu den Konzentrationslagern gebracht. Niederländische Juden brachten die Nazis zuerst in ein Lager nach Westerbork in den Niederlanden und von da aus nach Auschwitz.

Text 16

markenfrei erhältlich: Dinge, die man auch ohne Marken/Karten (kleine, amtliche Zettel) kaufen konnte. Oft waren diese Dinge von schlechter Qualität.

Text 17

die Bomben fielen: Die Niederlande war sowohl für Großbritannien als auch für Deutschland der Ort für den Luftkrieg gegen den anderen Staat. Darum fielen in den Niederlanden viele Bomben.

Mussolini: Benito Mussolini war von 1922 bis 1943 der Diktator Italiens und kämpfte ab 1940 auf der Seite von Deutschland. Als die Alliierten, also das Militär der Länder USA, Großbritannien, Frankreich und Russland in Italien auf Sizilien landeten, kam Mussolini am 25. Juli 1943 ins Gefängnis.

Text 21

Stammkarten: Identifikationskarten; nur wer die Stammkarte zeigte, erhielt als Niederländer im Krieg Marken für Lebensmittel und andere Dinge.

Text 23

der Kastanienbaum: Das war das bisschen Natur, das Anne vom Versteck aus sehen konnte und das sie tröstete. Er war einer der ältesten Kastanienbäume in Amsterdam. Der Baum war schon länger krank, als er 2010 bei einem Unwetter umfiel.

Text 28

die Gestapo: Die „Geheime Staatspolizei“, die politische Polizei der Nazis, suchte seit 1933 nach politischen Gegnern und Andersdenkenden.

Text 31

der Schwarzmarkt: Die Lebensmittel, die es auf Lebensmittelkarten gab, reichten nicht zum Leben. Für viel Geld verkauften oder tauschten Menschen, die noch etwas hatten, ihre Waren. Das war verboten. Menschen, die auf dem Schwarzmarkt handelten, mussten ins Gefängnis, wenn man sie entdeckte.

NSB (Nationaal-Socialistische Beweging): Niederländische nationalsozialistische Partei, 1931 bis 1945. Die Partei hatte ähnliche Vorstellungen wie Hitler und die Nazis und arbeitete mit den Deutschen zusammen.

Präteritumformen

A

aß, essen

B

bat, bitten
begann, beginnen
bekam, bekommen
beschloss, beschließen
bestand, bestehen
blieb, bleiben
brachte, bringen
brannte, brennen

D

dachte, dachte nach, denken, nachdenken

E

erkannte, erkennen
erschrak, erschrecken

F

fand, finden
fiel, **fiel herunter**, fallen, herunterfallen
fing an, anfangen
floh, fliehen
flog, fliegen
fuhr, fahren

G

gab, geben
gelang, gelingen
ging, ging aus, gehen, ausgehen

H

half, helfen
hatte, haben
hielt fest, festhalten
hing, hängen

K

kam, kommen

L

lag, liegen
las, lesen
lief, laufen
ließ, lassen
litt, leiden

N

nahm, nehmen

R

rannte, rennen
reinließ, reinlassen
rief, **rief an**, rufen, anrufen
riss, reißen

S

sah, **sah aus**, sehen, aussehen
sank, sinken
saß, sitzen

SCH

schlief, **schlief ein**, schlafen, einschlafen
schloss, schließen
schlug, schlagen

schrie, schreien
schrieb, schreiben

SP

sprach, sprechen

stand, **stand auf**, stehen, aufstehen
stank, stinken
starb, sterben
stieg, steigen

T

tat, tun
trank, trinken
trat, treten
trug, tragen

vergingen, vergehen
verstand, verstehen

war, sein
warf, werfen
wurde, werden
wusch, waschen
wusste, wissen

zogen an, **zogen um**, anziehen, umziehen

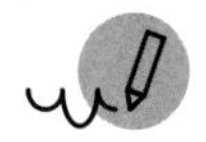

Übungen zum Leseverstehen

Text 1

Was stimmt, was stimmt nicht? Kreuze an.

	stimmt	stimmt nicht
1. Anne Frank hatte am 12. Juni Geburtstag.	◯	◯
2. Anne war schon um fünf Uhr wach.	◯	◯
3. Eines der schönsten Geschenke war das Tagebuch.	◯	◯
4. Ein Geschenk war eine Flasche Wein.	◯	◯
5. Im Unterricht aßen die Lehrer und Schüler zusammen Butterkekse.	◯	◯
6. Anne durfte beim Sportunterricht nicht mitmachen.	◯	◯
7. Annes Freundinnen gehen alle auf das Jüdische Lyzeum.	◯	◯

Text 2

1. Anne und ihr Tagebuch. Ergänze die Wörter.

1|Freundin 2|heißt 3|mindestens 4|seltsam 5|Lust 6|soll 7|Gedanken 8|liebe

Für Anne ist Tagebuch schreiben ____________. Sie denkt, dass sie selbst und andere Menschen sich später nicht für die intimen ____________ und Gefühle eines dreizehnjährigen Schulmädchens interessieren. Aber sie hat ____________ zu schreiben. Anne schreibt, dass sie keine ____________ hat. Sie hat ____________ Eltern und eine Schwester. Sie hat ____________ dreißig Bekannte. Es fehlt Anne nur „die" Freundin. Deshalb ____________ dieses Tagebuch Annes Freundin sein. Und diese Freundin ____________ „Kitty".

2. Anne erzählt über ihre Familie. Sortiere die Sätze in der richtigen Reihenfolge.

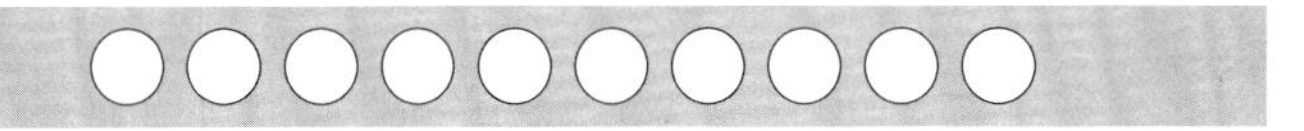

a Am 12. Juni 1929 kam ich zur Welt.

b Ich ging bald in den Kindergarten der Montessorischule. Dort blieb ich, bis ich sechs Jahre alt war. Dann kam ich in die erste Klasse.

c Weil wir Juden sind, ging dann mein Vater 1933 in die Niederlande.

d Mein Vater heiratete mit 36 Jahren meine Mutter. Sie war damals 25 Jahre alt.

e Margot ging im Dezember nach Holland und ich im Februar. Da haben mich meine Eltern als Geburtstagsgeschenk für Margot auf den Tisch gesetzt.

f Bis zu meinem vierten Lebensjahr wohnte ich in Frankfurt.

g Meine Schwester Margot wurde 1926 in Frankfurt am Main in Deutschland geboren.

h Er wurde Direktor der Niederländischen Opekta Gesellschaft zur Marmeladenherstellung.

i Nach der 6. Klasse besuchte ich das Jüdische Lyzeum, wo Margot schon war.

j Meine Mutter, Edith Frank-Holländer, fuhr im September auch nach Holland. Margot und ich gingen nach Aachen in Deutschland, wo unsere Großmutter wohnte.

3. Ab Mai 1940 waren deutsche Soldaten in den Niederlanden. Anne schreibt, was Juden machen mussten und was sie nicht durften. Setze „nicht", „nur" oder gar kein Wort ein.

a Juden müssen ____________ einen Judenstern tragen.

b Juden müssen ____________ ihre Fahrräder abgeben.

c Juden dürfen ____________ mit der Straßenbahn fahren.

d Juden dürfen ____________ mit einem Auto fahren.

e Juden dürfen ____________ von 3 – 5 Uhr einkaufen.

f Juden dürfen ___________ zu einem jüdischen Friseur.

g Juden dürfen zwischen 8 Uhr abends und 6 Uhr morgens ___________ auf die Straße.

h Juden dürfen ___________ in Theater, Kinos gehen.

i Juden dürfen ___________ ins Schwimmbad.

j Juden dürfen nach acht Uhr abends ___________ in ihrem Garten sitzen.

k Juden dürfen ___________ zu Christen ins Haus kommen.

l Juden müssen ___________ auf jüdische Schulen gehen.

Text 3

Anne, die Schwatzliese. Verbinde die passenden Satzteile.

1 Die ganze Klasse hatte Angst,

2 Der Mathematiklehrer war eine Zeit lang sehr böse auf Anne,

3 Anne wollte einen guten Beweis finden,

4 Anne schrieb, dass sie die Gewohnheit viel zu reden nicht aufgeben kann,

5 Annes Freundin Sanne half einen dritten Aufsatz zu schreiben,

6 Das Gedicht handelte von einem Vater Schwan und einer Entenmutter,

7 Der Vater tötete die drei Kinder,

A warum Schwätzen so wichtig ist.

B weil sie das viele Reden von ihrer Mutter geerbt hat.

C für den die beiden die Form eines Gedichts wählten.

D weil sie immer so viel redete.

E weil sie so viel schnatterten.

F weil bald Lehrerkonferenz ist.

G die drei Kinder hatten.

Text 4

Was stimmt, was stimmt nicht? Kreuze an.

	stimmt	stimmt nicht
1. Anne denkt an Konzentrationslager und einsame Gefängnisse.	◯	◯
2. Annes Familie und van Daans wollen sich verstecken.	◯	◯
3. Mit van Daans sind sie dann sechs Personen.	◯	◯
4. Für Anne sind Erinnerungen wichtiger als Kleider.	◯	◯
5. Miep und Jan packten Geschirr und Essen in eine Tasche.	◯	◯
6. Als Anne mit ihrer Familie ins Versteck ging, schien die Sonne.	◯	◯
7. Alle zogen sich so dick an, um möglichst viel Kleidung mitzunehmen.	◯	◯
8. Anne wusste nicht, wo sie sich verstecken wollten.	◯	◯
9. Bevor sie gingen, räumten die Franks die Wohnung noch auf.	◯	◯

Text 5

1. Wie sieht das Hinterhaus aus? Ergänze die Wörter.

1|Klo 3|Küche 5|Schlafzimmer 8|Zimmer 2|Esszimmer 4|Dachboden 7|Treppe 6|Tür

Vom unteren Flur gibt es eine Holztreppe nach oben. Dort ist ein kleiner Flur. Rechts und links sind Türen, die linke Tür führt zum Vorderhaus mit den Lagerräumen, die rechte ______________________ zum „Hinterhaus". Direkt gegenüber der Tür ist eine steile ______________________, links ein kleiner Flur und ein Raum. Das ist dann das Wohn- und

_______________________ der Familie Frank. Daneben ist noch ein kleineres _______________________. Das ist das Schlaf- und Arbeitszimmer von Margot und mir. Rechts von der Treppe ist ein kleines Zimmer ohne Fenster mit einem Waschbecken und einem extra _______________________. Wenn man die Treppe hochgeht und die Tür öffnet, ist man überrascht. Hier gibt es einen hohen, hellen, großen Raum. Dort steht ein Herd und ein Spülbecken. Das ist also in Zukunft die _______________________ und das Schlafzimmer von Herr und Frau Daan, und auch das gemeinsame Wohnzimmer, _______________________ und Arbeitszimmer. Ein sehr kleines Zimmerchen, durch das man durchgehen muss, wird Peters Zimmer. Dann gibt es, wie im Vorderhaus, einen _______________________ und noch einen darüber. Siehst du, jetzt habe ich dir unser ganzes schönes Hinterhaus vorgestellt.

2. Was stimmt, was stimmt nicht? Kreuze an.

	stimmt	stimmt nicht
1. Anne lief mit Vater und Mutter mit vollen Koffern zum Versteck.	◯	◯
2. Die Eltern hatten schon lange vorher Sachen in das Versteck gebracht.	◯	◯
3. Weil es den Aufruf für Margot gab, mussten sie sich zehn Tage früher verstecken.	◯	◯
4. Die Räume im Versteck waren schon fertig.	◯	◯
5. Das Versteck war im Bürogebäude von Annes Vater.	◯	◯
6. Alle Mitarbeiter waren informiert, dass sich zwei Familien dort verstecken.	◯	◯

Text 6

In jedem Satz stimmt etwas nicht. Streiche die falschen Wörter und schreibe die richtigen hinter den Satz.

1. Vater, Mutter, Margot und ich können sich nicht an die Glocke im Westerturm gewöhnen. ___________
2. Das Hinterhaus ist kein ideales Versteck. ___________
3. Unser Zimmer hatte Wände ohne Bilder, ohne irgendwas. Aber mein Vater hatte meine Postkarten und Bilder von Frankfurt mitgenommen. ___________
4. Und gestern Abend sind wir alle vier hinunter in das Privatbüro gegangen und haben den deutschen Radiosender angestellt. ___________
5. Gleich am ersten Tag haben Vater und ich aus verschiedenen Tüchern Kleider genäht. ___________
6. Wir haben Margot verboten, nachts zu singen, auch wenn sie eine schwere Erkältung hat. ___________

Text 7

Was stimmt, was stimmt nicht? Kreuze an.

	stimmt	stimmt nicht
1. Anne findet Peter ziemlich interessant.	◯	◯
2. Frau van Daan bringt ihren Nachttopf mit.	◯	◯
3. Herr van Daan hat einen Stuhl unter dem Arm.	◯	◯
4. Herr van Daan erzählt, dass der Nachbar, Herr Goldschmidt, die Katze zu den Nachbarn bringen wollte.	◯	◯
5. Van Daan entdeckt auf Frau Franks Schreibtisch einen Zettel, auf dem eine Adresse in Maastricht steht.	◯	◯
6. Frau Frank hatte den Zettel dort vergessen.	◯	◯
7. Van Daan erzählt von einem Jugendfreund von Herrn Frank, der in Maastricht beim Militär ist und den Franks hilft.	◯	◯

Text 8 – 12

Welche Stichwörter passen? Ordne die Stichwörter dem passenden Text zu. Es gibt immer mehrere pro Text.

C | es hagelt braune Bohnen

A | die achte Person

B | Ein richtiges Versteck

D | den ganzen Tag stillsitzen und nicht reden

E | ein langweiliger Junge

F | die verwöhnte Anne

G | Badeorte

I | Handwerkerbesuch

H | Beulen am Kopf

J | Anne teilt ihr Zimmer mit dem Zahnarzt

K | Diskussionen mit Mutter

L | Peters Geburtstagsgeschenke

Text 8: ◯ ◯ ◯

Text 9: ◯ ◯

Text 10: ◯ ◯ ◯

Text 11: ◯ ◯

Text 12: ◯ ◯

Text 13

1. Auszug aus „Prospekt und Gebrauchsanweisung für das Hinterhaus". Wähle die passenden Überschriften.

A | Ruhezeiten

B | Unterricht

C | Miete

D | Pflichtarbeiten, die für die Helfer zu machen sind

E | Sprache

F | Baden

G | Radiozentrale

H | Singen

I | Diätküche

J | Sport

K | Lesen und Erholung

1 ____________________: gratis

2 ____________________: fettfrei

3 ____________________: mit direkter Verbindung nach London, New York, Tel-Aviv und vielen anderen Radiostationen.

4 ____________________: 10 Uhr abends bis 7.30 Uhr morgens, sonntags 10.15 Uhr. Ruhestunden am Tag gibt es in besonderen Situationen, wenn die Leitung es so entscheidet.

5 ____________________: Alle müssen immer leise sprechen. Alle Kultursprachen sind erlaubt, also kein Deutsch.

6 ____________________: Das Lesen von deutschen Büchern ist verboten. Ausnahme: wissenschaftliche und klassische Bücher.

7 ____________________: tägliche Übungen.

8 ____________________: Nur leise und nach 6 Uhr abends.

9 ____________________: in Stenographie jede Woche eine schriftliche Lektion. In Englisch, Französisch, Mathematik und Geschichte jederzeit. Bezahlung durch eigenen Unterricht, z.B. Niederländisch.

10 ____________________: alle sollen bereit sein, bei den Büroarbeiten zu helfen.

11 ____________________: Sonntags ab 9 Uhr dürfen alle im Haus in der großen Schüssel baden. Badeorte: in der Toilette, in der Küche, im Privatbüro oder im vorderen Büro, ganz nach Wunsch.

Text 14

Was stimmt, was stimmt nicht? Kreuze an.

	stimmt	stimmt nicht
1. Anne ist glücklich darüber, dass Dussel ihre Sachen benutzt.	○	○
2. Anne erklärt Dussel alles ganz genau und er versteht es sofort.	○	○
3. Dussel hat viel von der Welt draußen erzählt.	○	○
4. So viele Freunde und Bekannte sind weg, zu einem schrecklichen Ziel.	○	○

Text 15

Welche Antworten sind richtig? Mehrere Antworten sind möglich.

1. Was machen die Bewohner im Hinterhaus im Dunkeln?

a. Englisch und Französisch sprechen
b. Ratespiele
c. Fußball spielen

2. Was sieht Anne durch das Fernglas?

a. Leute, die essen
b. einen Zahnarzt, der ein Kind behandelt
c. eine Familie, die einen Film schaut

3. Was macht Anne, wenn sie die vielen Ermahnungen hören muss?

a. Sie versteckt sich auf dem Dachboden.
b. Sie tut so, als ob sie taub wäre.
c. Sie denkt im Bett darüber nach.

Text 16

Der erste Wunsch nach dem Krieg. Wer wünscht sich was? Verbinde.

1	Anne will	**A**	ins Kino gehen.
2	Margot will	**B**	Familie Voskuijl sehen.
3	Herr Frank will	**C**	ein heißes Bad nehmen.
4	Frau Frank will	**D**	Hilfe beim Lernen.
5	Herr van Daan will	**E**	seine Freundin sehen.
6	Frau van Daan will	**F**	Kaffee trinken.
7	Peter will	**G**	Torte essen.
8	Herr Dussel will		

Text 17

Male eine Kurve für die Gefahr am 25. Juli 1943. Wann war die Gefahr groß (Bomben, Sirenen, Alarm, Schießerei)?

Gefahr
hoch

niedrig

Frühstück 14 Uhr 14.30 Uhr 15.00 Uhr 18 Uhr 21 Uhr 24 Uhr 2.30 Uhr

Text 18

Kuglers Angst entdeckt zu werden. Sortiere die Sätze in der richtigen Reihenfolge.

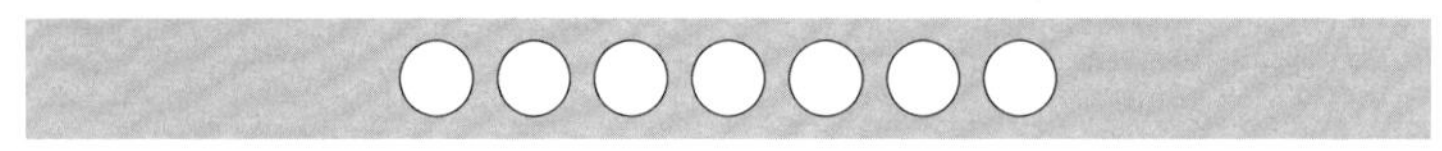

a Er bewegte sich vorsichtig wie ein Dieb über die Treppe und kam zu uns.

b Kugler ging sofort wieder zurück und saß bis halb zwei bei uns.

c Dort ging er vorsichtig Stufe um Stufe die Treppe hinunter (die Treppe ist sehr laut) und kam dann nach einer Viertelstunde von der Straßenseite ins Büro.

d Er zog um zehn Minuten vor halb eins seinen Mantel an und ging zur Drogerie um die Ecke. Keine fünf Minuten später war er wieder zurück.

e Eines Tages wollte Kugler mal besonders vorsichtig sein.

f Um Viertel nach eins wollte er wieder gehen, aber auf der Treppe traf er Bep. Sie warnte ihn und sagte, dass van Maaren im Büro ist.

g Dann nahm er seine Schuhe in die Hand und ging auf Strümpfen (obwohl er eine Erkältung hatte) zur Tür beim vorderen Dach.

Text 19

Wie heißt das Wort, das fehlt?

Heute Abend, als Bep noch hier war, klingelte es laut und intensiv. Ich wurde sofort weiß im Gesicht, der Bauch tat mir weh und ich hatte Herzklopfen. Und das alles, weil ich ____________ hatte.

Abends im Bett sehe ich mich allein in einem Gefängnis, ohne Vater und Mutter. Manchmal laufe ich verloren auf der Straße herum, oder unser Hinterhaus brennt, oder sie kommen uns nachts holen, und ich lege mich unter das Bett, weil ich so große ____________ habe.

Miep sagt oft, dass sie manchmal gerne mit uns tauschen würde, weil wir hier Ruhe haben. Das stimmt vielleicht, aber an unsere ____________ denkt sie sicher nicht.

Text 20

Anne und ihre Mutter. Ergänze die Wörter.

1 | Laune   2 | schimpfte   3 | gezeigt   4 | nicht

5 | wütend   6 | wahr   7 | Situationen

Ich war ______________ auf Mutter (und bin es noch oft). Sie verstand mich nicht, das ist ______________. Aber ich verstand sie auch ______________. Sie liebte mich und hat diese Liebe auch ______________. Aber ich habe sie oft in ______________ gebracht, die gar nicht angenehm für sie waren. Dadurch und durch die traurigen Verhältnisse wurde sie nervös und bekam schlechte ______________. Kein Wunder, dass sie oft mit mir ______________.

Text 21

Verbinde die passenden Satzteile.

1 Wenn einer von den acht seinen Mund aufmacht,

2 Untertauchen und Verstecken sind jetzt ganz normale Wörter,

3 Nie haben wir ein Wort von unseren Helfern gehört,

4 Es gibt die verrücktesten Geschichten,

5 Unsere Helfer beweisen durch ihre Fröhlichkeit und Liebe,

A die man dauernd benutzt.

B dass sie den Mut von Helden haben.

C die man sich erzählt.

D können die anderen sieben seine angefangene Geschichte fertig machen.

E dass sie es schwer mit dieser Situation und mit uns haben.

Text 22 – 24

Welche Stichwörter passen? Ordne die Stichwörter dem passenden Text zu. Es gibt immer mehrere pro Text.

A | Anne hat gute Laune

B | Schreibarbeit ist das Schönste

C | kein langweiliger Samstag

D | Annes Lieblingsplatz

F | Am Kastanienbaum glitzern kleine Tropfen

E | Anne will ihn sehen

G | Anne sitzt auf Vaters Stuhl neben Peter

H | Der Blick aus dem Fenster bis zum Horizont

I | Peter redet gern mit Anne

K | Anne möchte ihr Glücksgefühl mit jemandem teilen

J | keine Angst vor Rivalen

L | Peter wartet auf der Treppe

Text 22: ○ ○ ○ Text 23: ○ ○ ○ ○ ○ ○

Text 24: ○ ○ ○

Text 25

Anne denkt über ihre Entwicklung nach. Wohin gehören die Abschnitte auf der Zeitleiste?

A Wir zogen hierher, wo sich plötzlich alles verändert hat. Häufig haben wir gestritten, und immer wieder gaben sie mir die Schuld. Ich konnte es nicht glauben. Frech sein, das war für mich die einzige Lösung. So konnte ich mir wenigstens treu bleiben.

B Dauernd musste ich weinen, ich war einsam, langsam habe ich meine Fehler verstanden. Sie sind groß und schienen mir doppelt so groß. Ich redete tagsüber nicht darüber und versuchte, Vater auf meine Seite zu ziehen. Das gelang mir nicht. Ich stand allein vor der schwierigen Aufgabe, mich so zu verändern, dass ich keine Kritik mehr hören musste. Denn diese Kritik lag wie ein schweres Gewicht auf mir, sodass ich überhaupt keinen Mut mehr hatte.

C Zum zweiten Mal hat sich etwas sehr verändert. Ich hatte einen Traum. Durch ihn entdeckte ich meine Sehnsucht nach einem Jungen. Nicht nach einer Mädchenfreundschaft, sondern nach einem Jungenfreund. Ich entdeckte auch das Glück in mir selbst, und erkannte, wie ich mich

geschützt hatte, indem ich oberflächlich und fröhlich war. Aber ab und zu wurde ich jetzt ruhig. Nun lebe ich nur noch von Peter, denn von ihm hängt sehr viel davon ab, was weiter mit mir passieren wird.

D Daheim das Leben mit viel Sonne. Ein gutes Leben, das war es. An jedem Finger einen Jungen, der dich bewundert, ungefähr zwanzig Freundinnen und Bekannte, der Liebling der meisten Lehrer, Vater und Mutter, die alle Wünsche erfüllten, viel Süßes, genug Geld – was will man mehr? Trotz allem war ich auch nicht immer glücklich. Ich fühlte mich oft verlassen, aber weil ich von morgens bis abends beschäftigt war, dachte ich nicht nach und machte Spaß. Mit Witzchen sollte dieses Gefühl, dass alles so leer in mir war, weggehen.

E Dann wurde es besser. Ich wurde ein Teenager und man hat mich nun als erwachsenere Person angesehen. Ich fing an nachzudenken, Geschichten zu schreiben und ich beschloss, dass die anderen nichts mehr mit mir zu tun hatten. Sie hatten kein Recht, mich hin und her zu stoßen. Ich wollte mich selbst ändern, nach meinen eigenen Wünschen.

○	○	○	○	○
Anfang 1942	im Hinterhaus 1942	1. Hälfte 1943	2. Hälfte 1943	nach Neujahr 1943/44

Text 26

Verbinde die passenden Satzteile.

1 Jeden Abend um Viertel nach acht fragt Mutter,

2 Für Anne und Margot ist es ein Problem,

3 Anne weiß,

4 Anne muss jemanden besonders toll finden,

5 Alles wäre gut, wenn Anne nur Peter hätte,

A denn er ist ein feiner und hübscher Junge.

B dass sie besser diskutieren kann als Mutter.

C wenn sie ihn lieben soll.

D dass so wenig von dem vertrauten und harmonischen Zuhause übrig ist.

E ob Anne sich nicht ausziehen sollte.

Text 27

Anne schreibt. Was stimmt, was stimmt nicht?

	stimmt	stimmt nicht
1. Anne will im September nicht mehr in die Schule gehen.	◯	◯
2. Anne muss arbeiten, um nicht dumm zu bleiben.	◯	◯
3. Anne weiß, dass sie schreiben kann.	◯	◯
4. Anne ist keine gute Kritikerin, wenn es um ihr Schreiben geht.	◯	◯
5. Anne wäre lieber Malerin geworden.	◯	◯
6. Anne will nur für sich selbst schreiben.	◯	◯
7. Anne will nicht so leben wie ihre Mutter.	◯	◯
8. Anne ist dankbar, dass sie alles sagen kann, was in ihr ist.	◯	◯
9. Wenn Anne schreibt, gehen alle Probleme weg.	◯	◯
10. Anne wirft den Text, den sie angefangen hat, in den Ofen.	◯	◯

Text 28

Die Herren erzählen vom Einbruch. Sortiere die Abschnitte in der richtigen Reihenfolge.

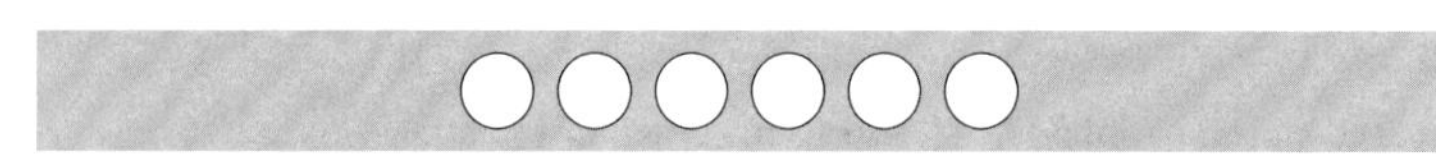

A Die Einbrecher waren noch da, als sie ins Lager kamen. Ohne zu überlegen, schrie van Daan: „Polizei!“ Schnelle Schritte nach draußen, die Einbrecher waren geflohen. Sie setzten das Brett wieder an die Stelle, aber von draußen trat jemand dagegen. So landete es wieder auf dem Boden.

B Dann gab es wieder eine Störung. Ein Ehepaar suchte von draußen mit dem Licht einer sehr hellen Taschenlampe das Lager ab.

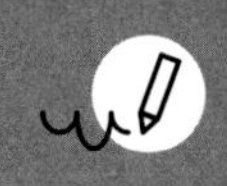

C Peter hörte auf der Treppe zwei Schläge, lief nach unten und sah, dass an der Tür, die zum Lager führt, ein großes Brett fehlte. Er rannte nach oben, sagte den Herren Bescheid, und alle vier gingen hinunter.

D Die Herren konnten nicht glauben, dass man so frech sein kann. Sie waren wütend auf die Einbrecher. Van Daan schlug kräftig auf den Boden, und alles war wieder still. Das Brett kam wieder vor das Loch.

E Alle vier rannten nach oben, Peter öffnete die Türen und Fenster von Küche und Privatbüro, warf das Telefon auf den Boden, und schließlich landeten sie alle im Versteck.

F „O je", sagte einer der Herren ganz leise, und nun änderten sich die Rollen. Unsere Herren waren plötzlich keine Polizisten, sondern Einbrecher.

Text 29 – 31

Welche Stichwörter passen? Ordne die Stichwörter dem passenden Text zu.

A | Anne will sich den Kopf nicht stoßen

B | ein wichtiger Tag in Annes Leben

C | Peter braucht viel Zärtlichkeit

D | Gemüsehändler verhaftet

E | ein Kuss auf Haare, Wange und Ohr

G | Anne geht es schlecht

F | die Versteckten müssen weniger essen

H | Anne glaubt nicht, dass ihre Liebe schwächer geworden ist

Text 29: ◯ ◯ ◯ Text 30: ◯ ◯ ◯

Text 31: ◯ ◯

Text 32

Was denkt Anne? Was stimmt, was stimmt nicht?

Anne denkt, dass …

	stimmt	stimmt nicht
1. man dem eigenen Gewissen folgen muss.	◯	◯
2. man nichts ändern kann, wenn man schwach ist.	◯	◯
3. man nicht bequem sein darf.	◯	◯
4. man Glück nicht verdienen kann.	◯	◯
5. Religion, egal welche, die Menschen auf dem richtigen Weg hält.	◯	◯

Text 33

Annes zwei Seiten. Welche Nennungen gehören zu welcher Seite?

A | äußerlich

B | nicht sichtbar

C | innerlich

D | weiß alles besser

E | will das letzte Wort haben

F | fröhlich

G | sagt verletzende Worte

H | schwach

I | flirtet, küsst, umarmt gern

L | die leichte Seite

J | schöne, tiefere, bessere Seite

K | ernst

N | reagiert schnell

O | rein

P | gibt freche Antworten

M | zeigt sich nicht nach außen

Annes eine Seite	Annes andere Seite

Lösungen

Text 1: stimmt: 1, 3, 6; stimmt nicht: 2, 4, 5, 7
Text 2:
Übung 1: 4, 7, 5, 1, 8, 3, 6, 2
Übung 2: d, g, a, f, c, h, j, e, b, i
Übung 3: a -, b -, c nicht, d nicht, e nur, f nur, g nicht, h nicht, i nicht, j nicht, k nicht, l -
Text 3: 1 F, 2 D, 3 A, 4 B, 5 C, 6 G, 7 E
Text 4: stimmt: 1, 2, 4, 7, 8; stimmt nicht: 3, 5, 6, 9
Text 5:
Übung 1: 6, 7, 5, 8, 1, 3, 2, 4
Übung 2: stimmt: 2, 3, 5; stimmt nicht: 1, 4, 6
Text 6: 1. ~~und ich~~, 2. ~~kein~~, ein 3. ~~Frankfurt~~, Filmstars 4. ~~deutschen~~, englischen 5. ~~Kleider~~, Vorhänge 6. ~~singen~~, husten
Text 7: stimmt: 2, 4, 5, 7; stimmt nicht: 1, 3, 6
Text 8 – 12: Text 8: B, E, H; Text 9: K, F; Text 10: G, I, D; Text 11: L, C; Text 12: A, J
Text 13: 1 C, 2 I, 3 G, 4 A, 5 E, 6 K, 7 J, 8 H, 9 B, 10 D, 11 F
Text 14: stimmt: 3, 4; stimmt nicht: 1, 2
Text 15: richtig ist: 1 a und b; 2 a und c; 3 b und c
Text 16: 1 D, 2 C, 3 B, 4 F, 5 C, 6 G, 7 A, 8 E
Text 17: Vorschlag

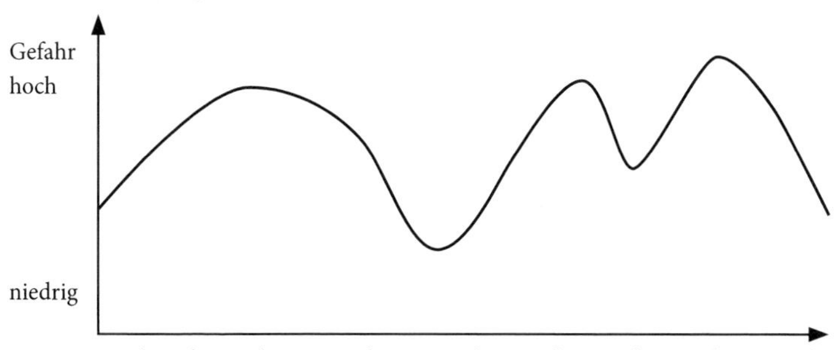

Text 18: e, d, a, f, b, g, c
Text 19: Angst
Text 20: 5, 6, 4, 3, 7, 1, 2
Text 21: 1 D, 2 A, 3 E, 4 C, 5 B
Text 22 – 24: Text 22: E, I, J; Text 23: A, B, D, F, H, K; Text 24: C, G, L
Text 25: D, A, B, E, C
Text 26: 1 E, 2 D, 3 B, 4 C, 5 A

Text 27: stimmt: 2, 3, 7, 8, 9; stimmt nicht: 1, 4, 5, 6, 10
Text 28: C, A, D, B, F, E
Text 29 – 31: Text 29: B, A, E; Text 30: G, C, H; Text 31: D, F
Text 32: stimmt: 1, 3, 5; stimmt nicht: 2, 4
Text 33: eine Seite: A, D, E, F, G, I, L, N, P; andere Seite: B, C, H, J, K, M, O